ENSEÑANDO PARA CAMBIAR VIDAS

Howard Hendricks

Contiene un estudio programado por la
Facultad Latinoamericana de Estudios Teológicos

Publicado y distribuido por Editorial Unilit

ENSEÑANDO PARA CAMBIAR VIDAS
Tercera edición revisada

14540 S. W. 136 St. Suite 200
Miami, FL. 33186

Primera edición al español 1990
Segunda edición 1997
Tercera edición 2003

Título original en inglés: *Teaching to Change Lives*

Originalmente publicado por Multnomah Press
Portland, Oregon.

Traducción de la tercera edición: Elizabeth Fraguela
Editor: Alberto Samuel Valdés y Janet Lourdes Ramirez
Diseño textual: Logoi, Inc.
Citas bíblicas tomadas de Reina Valera, (RV) revisión 1960.

Producto: 491049
Categoría: Referencia/Ayudas pastorales
ISBN: 0-7899-0360-1
Impreso en Colombia

A mis estudiantes
mis maestros más inquisitivos
mi desafío más persistente
mi realización más perdurable.

Acordándonos sin cesar delante del Dios y Padre nuestro de la obra de vuestra fe, del trabajo de vuestro amor y de vuestra constancia en la esperanza en nuestro Señor Jesucristo.

—1 Tesalonicenses 1.3

Desarrolla por comunicar una pasión por comunicar la Palabra de Dios a los adultos o niños en la iglesia, el hogar, en grupos de estudio bíblico o en la escuela.

CONTENIDO

PREFACIO

Howard Hendricks.

Dentro de los círculos educacionales evangélicos, ese nombre significa «Educación cristiana». El Dr. Hendricks no solo ha estado al frente de los movimientos modernos de educación cristiana, sino también es un maestro de Biblia enérgico y dinámico cuyos mensajes traen como resultado vidas cambiadas. Pero más que eso, para mí personalmente, es un gran amigo y un mentor inspirador.

Nuestra amistad comenzó cuando yo era estudiante en el seminario, y fui cautivado por las experiencias dinámicas de aprendizaje en sus clases. ¡Francamente, hice de Howard Hendricks mi asignatura principal!

¿Por qué yo y muchos, muchos otros estudiantes tomamos tantas clases como nos fueron posibles de este hombre? Porque él se preocupaba. Se preocupaba por cada uno de nosotros como individuos y como futuros comunicadores. Se interesaba en las verdades que podíamos aprender en sus clases. Se interesaba acerca de todo el proceso de la comunicación excelente. Sí, se preocupaba por nosotros, y esto se percibía en cada palabra que hablaba y en cada movimiento que hacía. El hecho es que él estaba más que enseñando a sus estudiantes, él estaba ministrándoles.

Es por eso que cuando presenté mi tesis acerca de cómo usar métodos revolucionarios de enseñanza para la presentación de una visión panorámica del Antiguo Testamento, confié en el Dr. Hendricks como mi consejero. Y es por eso que cuando comenzamos *Walk Thru the Bible Ministries* [Ministerios Camine a través de la Biblia], como resultado de esa tesis, le pedí al Dr. Hendricks que fuera parte de nuestra junta directiva. Él sigue inspirándome y desafiándome en esta función crucial.

Como ve, cada clase que enseñó el Dr. Hendricks durante mis cuatro años en el seminario fue de tanta motivación y de ayuda que nosotros los estudiantes solíamos pensar que, cuando estuviéramos en el cuarto año quizás alguna vez él nos aburriría. «Tal vez hoy meta la pata», bromeábamos. Bueno, todavía estamos esperando que así suceda.

A fines de mi último año en el seminario decidí probar al profesor Hendricks. Entré a la clase, me senté en la última fila y decidí no prestarle atención. Me dediqué a mirar el parqueo a través de la ventana. Quería saber cuánto tiempo podría él soportar que un estudiante no prestara atención.

Pues bien, el profe tenía una rutina al comenzar cada clase. Se sentaba detrás de su escritorio y podíamos ver sus piernas balanceándose durante tres minutos antes de comenzar la clase, como si estuviera dándose cuerda para estar listo y comenzar. Al llegar la hora, abría la boca y comenzaba a hablar. Entonces se quedaba allí durante casi ocho minutos, enseñando. En ese momento, se levantaba de su silla, iba a la pizarra y dibujaba una gran gráfica. Luego decía un chiste pertinente y seguía con su bosquejo.

Ese día, yo solo miraba a través de la ventana. Y en menos de un minuto él salió de detrás de su escritorio. Estaba dibujando unas magníficas gráficas en la pizarra, y yo estaba resistiendo como mejor podía el deseo de copiarlas. Entonces comenzó a decir chistes. Muchos chistes. Mientras que yo hacía lo imposible para no reírme. Luego fue hasta la esquina del salón, directamente en mi camino, gesticulando exageradamente. Pero yo seguía mirando a través de la ventana.

A los tres minutos y treinta y siete segundos vino corriendo por el pasillo hacia mí, gritando: «¡Wilkinson! ¿Se puede saber qué estás mirando?» Así que me disculpé y comencé a prestar atención. Y no le conté sobre mi pequeño experimento hasta años más tarde.

El Dr. Hendricks estaba tan comprometido a que sus alumnos aprendieran, que lo volvía loco pensar que estuviera fallando en este compromiso. Y haría cualquier cosa con tal que el alumno volviera al camino del proceso del aprendizaje. Eso es dedicación. No, eso es *enseñanza*. Pero, francamente, es el tipo de enseñanza que en nuestros días ya no vemos mucho.

En las escuelas, iglesias, santuarios, seminarios, donde quiera que se produzca una situación de enseñanza, en estos días el nombre del juego no parece ser enseñar, sino cubrir el material. Y como resultado, vemos estudiantes sin motivación, que en lugar de sentirse cautivados por la lección y disfrutarla, apenas la aguantan ... a lo mucho. Estos estudiantes, a quienes las verdades a las que han sido expuestos les importa un bledo, pueden cambiar sus vidas.

Pero, porque usted ha tomado este libro para leerlo, eso me dice que es el tipo de maestro que le interesa seguir desarrollándose para ver las vidas de sus estudiantes brotar y florecer como Dios quiere.

Si esto es cierto, entonces ha seleccionado el libro correcto. Porque por primera vez el Dr. Hendricks ha revelado sus décadas de pericia en el tema de la comunicación en siete leyes prácticas, «Las siete leyes del maestro». Ellas están diseñadas exclusivamente para usted, para ayudarlo a generar un impacto aun mayor en las vidas de aquellos a quienes usted enseña.

Este libro es solo parte de una serie de nuevas enseñanzas prácticas para comunicadores que quieren cambiar vidas y que presentamos en una serie de seminarios en vivo y por vídeos que hemos llamado *The Applied Principles of Learning*™ [La aplicación de los principios del aprendizaje], o «APP» para hacerlo breve. Las siete leyes del Dr. Hendricks se grabaron en una cinta de vídeo exactamente como él las presentó ante una audiencia de cientos de maestros provenientes de los alrededores del país, personas como usted y yo que querían mejorar sus habilidades de enseñanza.

Estos siete vídeos de *Walk Thru the Bible ministries* [Camine a través de la Biblia], que también presentan esbozos dramáticos, están a la venta para su iglesia o grupo de escuela. Además de este libro, también está disponible una colorida libreta para ayudarlo a mantener sus notas e impresiones a medida que ve los vídeos, como también para animarlo a través de los ejercicios prácticos a poner en práctica en su situación de enseñanza las leyes que aprenda. También se puede usar una guía para líderes que ayudará al grupo a obtener el beneficio máximo de esta serie.

Mi parte de la serie Aplicación de los principios de aprendizaje, que complementa las leyes del Dr. Hendricks, se llama «Las siete leyes del estudiante». Mis seminarios en vivo se ofrecen en una cinta de vídeo como un curso que acompaña al de él, con una libreta del curso, un libro de texto y la guía del líder. Sé que usted se beneficiará de cualquiera de estas series, ya sea que use las sesiones de vídeos o simplemente lea el libro.

Puede usar la serie de vídeos del Dr. Hendricks por su cuenta, o como parte de un programa de entrenamiento para maestros en su iglesia o escuela. Vea cada sesión una vez por semana durante siete semanas, o durante un retiro de fin de semana para maestros. Asegúrese de usar los materiales del libro de trabajo que lo ayudará a entender la ley personalmente y aplicarla a su propia enseñanza. Así que, este libro puede servir para refrescar las lecciones de vídeo del Dr. Hendricks, una fuente a la cual puede volver vez tras vez para fijar esas verdades bíblicas en su vida.

Le aseguro que cuando comience a practicar las leyes que presentan las series APP, encontrará que su enseñanza será mucho más interesante y satisfactoria que nunca antes porque verá vidas cambiadas en sus estudiantes.

Eso es lo que a mí me pasó cuando me senté bajo la enseñanza de este hombre en un salón de clase del seminario. Y a usted también le puede pasar a medida que dé vuelta a la página, o ponga su vídeo en la pantalla, y oiga al Dr. Hendricks compartir sus percepciones con usted. El resultado, mi amigo, será realmente revolucionario.

Bruce H. Wilkinson
Presidente y Fundador
Walk Thru the Bible Ministries, Inc.
Atlanta, Georgia

UNA PASIÓN POR COMUNICAR

De la forma en que comenzó mi vida, estoy seguro de que pude morirme e irme al infierno y nadie se hubiera preocupado mucho por mí. Nací en un hogar destruido, mis padres se separaron antes de que yo naciera. La única vez que los vi juntos fue dieciocho años después, cuando me llamaron a testificar en un juicio de divorcio.

De niño viví en un vecindario al norte de Filadelfia en donde se decía que nunca se podría establecer una iglesia evangélica. Pero Dios muestra su fantástico sentido del humor cada vez que alguien decide lo que no se puede hacer. Él guió a un pequeño grupo de cristianos a unirse, comprar allí una casita, y comenzar una iglesia.

Uno de los hombres de la iglesia se llamaba Walt. Su educación solo llegó hasta el sexto grado. Un día, Walt le dijo al superintendente de la escuela dominical que quería comenzar una clase de escuela dominical.

—Magnífico, Walt —le dijo—, pero no tenemos un puesto para ti.

Sin embargo, Walt insistió hasta que por fin el superintendente le dijo:

—Bueno, vete y consigue una clase. Cualquier persona que consigas será tu alumno.

Entonces Walt vino a mi barrio. La primera vez que nos conocimos yo estaba afuera jugando a las canicas en el concreto.

—Hijo —dijo él—, ¿te gustaría ir a la escuela dominical?

Yo no estaba interesado. No quería saber de nada que tenga que ver con una escuela.

Así que él dijo:

—¿Qué te parece si jugamos a las canicas?

Eso era diferente. Así que nos pusimos a jugar a las canicas y la pasamos muy bien, a pesar de que me ganó todos los juegos. Para entonces, lo hubiera seguido a donde quiera.

Walt recogió un total de trece muchachos de esa comunidad para su clase de escuela dominical, de lo cuales nueve procedían de hogares destruidos. Once de los trece están ahora dedicados a tiempo completo al trabajo de la vocación cristiana.

Realmente no puedo decir mucho de lo que Walt nos decía, pero acerca de él sí tengo mucho que contar... porque él me amó por causa de Cristo. Él me quiso más que mis padres.

Acostumbraba llevarnos a dar caminatas, y jamás olvidaré esos tiempos. Estoy seguro que le empeoramos el corazón, pero él corría con nosotros por aquellos bosques porque se interesaba en nosotros.

Él no fue la persona más brillante del mundo, pero era genuino. Lo sabía, y también lo sabían todos en la clase.

Así que, mi interés en enseñar es mucho más que profesional. Es también intensamente personal, y en realidad es una pasión, porque la única razón por la cual hoy tengo un ministerio es que Dios puso en mi camino a un maestro entregado.

Este libro explica siete conceptos estratégicos en la enseñanza, y usted notará que los llamamos «leyes», principios, reglas.

La ley del	Maestro
La ley de la	Educación
La ley de la	Actividad
La ley de la	Comunicación
La ley del	Corazón
La ley de la	Motivación
La ley de la	Preparación

Si estas siete leyes se reducen a su esencia, verá que todas ellas exigen *sentir una pasión por comunicar.*

Años atrás participé en una convención de escuela dominical en la Iglesia Moody Memorial de Chicago. Durante un receso para almorzar, tres de los que estábamos dando clases en la convención, cruzamos la calle para ir a una tiendecita de hamburguesas. El lugar estaba lleno, pero pronto se desocupó una mesa para cuatro. Vimos a una anciana que, de acuerdo a la cartera que llevaba, sabíamos que estaba asistiendo a la convención y la invitamos a que nos acompañara.

Nos dijo que tenía ochenta y tres años y que era de un pueblo que estaba en la parte superior de la península de Michigan. En una iglesia con una escuela dominical de solo sesenta y cinco personas, enseñaba una clase de trece jóvenes de los tres primeros años de la escuela secundaria. La noche antes de la convención viajó por ómnibus hasta Chicago. ¿Por qué? Dicho en sus palabras: «Para aprender algo que me convierta en una mejor maestra».

En ese momento pensé: «La mayoría de la gente que tuviera una clase de trece jóvenes en una escuela dominical de solo sesenta y cinco personas se estaría dando golpes de pecho y diciendo: ¿Quién, yo? ¿Ir a una convención de escuela dominical? ¡Yo no necesito de eso, puedo hacerlo yo mismo! Pero no era así con esta mujer.

Ochenta y cuatro de los muchachos que se sentaron ante sus clases ahora son jóvenes dedicados al ministerio. Y veintidós son graduados del seminario donde doy clases.

Si usted me preguntara el secreto del impacto de esta mujer, le daría hoy una respuesta totalmente diferente a la que le hubiera dado hace treinta años. En aquel entonces se lo hubiera acreditado a su metodología.

Ahora creo que se debe a su pasión por comunicar.

En mi corazón, la preocupación que siento por usted es que Dios le dé una pasión como esa... y que nunca la deje morir.

Y ojalá que nunca se canse de sentir la emoción que da que alguien realmente lo escuche y aprenda de usted.

El maestro debe conocer lo que va enseñar...
El conocimiento imperfecto se reflejará necesariamente en la enseñanza imperfecta.

—John Milton Gregory

Capítulo 1

LA LEY DEL MAESTRO

El maestro eficaz siempre enseña de lo que fluye de una vida plena.

La ley del maestro, declarada sencillamente, es esta: *Si deja de crecer hoy, dejará de enseñar mañana.*

Ni la personalidad ni la metodología pueden sustituir este principio. Usted no puede comunicar desde un vacío. No puede impartir lo que no posee. Si no lo conoce, es decir, conocerlo verdaderamente, no lo puede dar.

Esta ley comprende la filosofía de que como maestro soy principalmente un estudiante; un estudiante entre los estudiantes. Estoy perpetuando el proceso del aprendizaje, aún estoy en camino. Y al convertirme de nuevo en estudiante, yo, como maestro, veré el proceso de la educación a través de una perspectiva radicalmente nueva y únicamente mía.

Debo seguir creciendo y cambiando. Por supuesto, la Palabra de Dios no cambia pero mi comprensión de la misma sí porque soy un individuo en desarrollo. Por eso Pedro nos pudo decir al final de su segunda epístola: «*Creced* en la gracia y el conocimiento de nuestro Señor y Salvador Jesucristo».

Tal filosofía requiere cierta actitud —la actitud que reconoce que uno todavía no ha «alcanzado la cúspide». La persona que aplica este principio de la enseñanza siempre está preguntándose: «¿Cómo puedo mejorar?»

Considérelo de esta manera: Mientras vive, aprende; y mientras aprende, vive.

Cuando yo era un estudiante de universidad —eso fue antes de que la corteza terrestre se solidificara— trabajaba en el comedor universitario y todas los días a las 5:30 de la mañana, de camino al trabajo, pasaba por la casa de uno de mis profesores. A través de una de las ventanas podía ver la luz de su escritorio, mañana tras mañana.

Por la noche me quedaba hasta tarde en la biblioteca para tomar ventaja de las horas nocturnas de estudio, y de regreso a casa a las diez y media u once, volvía a ver la luz encendida de su escritorio. Él siempre estaba escudriñando sus libros.

Un día me invitó a almorzar en su casa, y después de comer le dije:

—¿Podría hacerle una pregunta?

—Por supuesto —contestó.

—¿Qué lo mantiene estudiando? Tal parece que usted nunca se detiene.

Su respuesta, me enteré después, eran las palabras de otro, pero habían llegado a ser suyas:

—Hijo, prefiero que mis estudiantes beban de una corriente de agua que de un charco estancado.

Fue uno de los mejores profesores que tuve, un hombre que influenció mi vida para siempre.

¿Y qué de aquellos a los que usted enseña? ¿De dónde están bebiendo?

Permítame desafiarlo con una afirmación de Lucas 6, en la última parte del versículo 40: «Todo el que fuere perfeccionado, será como su maestro».

Las personas me dicen que no pueden creer que Jesús dijera esto. En todos los años de leer los evangelios nunca lo notaron. Pero ahora esto los motiva a pedirle a Dios que por su gracia cambie sus vidas, y que las cambie drásticamente. ¿Y qué de usted?

¿Ese principio en Lucas 6.40 es una expectativa que lo anima, o que lo atemoriza?

No importa sus sentimientos al respecto, si usted quiere ministrar a otros, pídale a Dios que primero le ministre a usted. Él quiere obrar por medio suyo —pero no puede hacerlo hasta que Él obre *en* usted. Él le usará como su herramienta, pero quiere afilar y limpiar esa herramienta para que sea un instrumento más eficaz en sus manos.

Todo esto es verdad porque la *personalidad humana* es el vehículo de la enseñanza eficaz. No me pida que le explique eso. Solo le agradezco a Dios porque puedo experimentarlo.

Por mucho tiempo he estado convencido de que Dios podría haber usado instrumentos mucho más eficientes que usted o yo para hacer este trabajo; sin embargo, escogió obrar a través de nosotros. Esa realidad la mayoría de nosotros solo puede aceptarla por fe. Y es cierta. El milagro del ministerio es que Dios nos eligió para ser sus representantes a esta generación. Él quiere efectuar un cambio, y al hacerlo, *usted* será uno de sus instrumentos esenciales. ¿Se imagina eso?

Así que si quiere fortalecer su enseñanza, y es obvio que por eso está leyendo este libro, entonces haga todo lo que esté a su alcance para fortalecer al maestro —usted mismo.

Quiero ayudarle a hacer eso.

La búsqueda de maestros

Hace años una tira cómica mostraba dos escenas en las cuales un Sr. Pérez hablaba con una mujer joven en su oficina.

En la primera escena él es un superintendente de escuela pública, y dice: «Srta. González, me apena mucho decirle que después de revisar su solicitud para ocupar el puesto de maestra hemos decidido que no la emplearemos. Necesitamos a una persona que por lo menos tenga cinco años de experiencia y de preferencia con una maestría en educación».

En la segunda escena el Sr. Pérez es un superintendente de la escuela dominical, y dice: «Srta. González, usted será una maestra *maravillosa*. Reconozco que usted es una cristiana reciente y que cree saber poco de la Biblia, pero no hay mejor manera de conocer la Biblia que enseñándola. Usted dice que no tiene experiencia en el trabajo con niños de esta edad, pero estoy convencido de que llegará a comprenderlos y amarlos. Realmente, Srta. González, lo único que queremos es un corazón dispuesto».

Qué comentario tan triste, aunque cierto, acerca de lo poco que valorizamos la enseñanza de la Palabra de Dios. Se necesita un mínimo de cuatro años de educación universitaria para enseñar a los niños que dos más dos son cuatro. Sin embargo, para enseñar las inescrutables riquezas de Cristo, cualquier cosa es suficiente... y es por eso que con tanta frecuencia se degenera en un ministerio de mediocridad.

En la búsqueda de buenos maestros siempre busco personas que sean fieles, que estén disponibles, y que estén dispuestos a ser instruidos. Lo que tienen en la cabeza no es el factor determinante. Pero, ¿son fieles en lo que han hecho? ¿están disponibles para enseñar, sin ser forzados? ¿están dispuestos a aprender?

En muchas de nuestras escuelas dominicales estamos descubriendo que conseguimos la mayor cantidad de maestros dedicados cuando sencillamente los involucramos gradualmente en el proceso. Y así es que se entregan al trabajo. Por ejemplo, vienen a ver los programas para los de escuela secundaria. Y al rodearse de estos adolescentes, realmente se sienten atraídos con la idea de que: (1) ellos pueden tener un ministerio en la vida de estos jovencitos, y (2) es una inversión que trae grandes ganancias.

Al principio, la mayoría de los adultos sienten temor de involucrarse porque su nivel de confianza es muy bajo. Nuestra tarea es elevarles el nivel de confianza, y con un poco de tiempo y participación, esto se logra.

De paso, también agregaré que si yo fuera responsable de seleccionar a los maestros de la escuela dominical, de inmediato eliminaría tres cosas:

Primero, todos los anuncios públicos de este tipo: «*Hermanos*, POR FAVOR, ¿podría alguien enseñar en nuestra escuela dominical? ¡Hace SEMANAS que estamos buscando más maestros y NADIE quiere ayudarnos!»

Segundo, todo tipo de presión: «Cambie de idea y enseñe, ¿qué dice? No requiere de tiempo. Tenemos guías trimestrales para los maestros. ¿Sabe leer, verdad? Si sabe leerlas, también puede enseñarlas, así que inténtelo, ¿está bien?»

Tercero, todos los nombramientos de último momento. El aterrorizado superintendente de escuela dominical entra repentinamente a la clase de adultos la mañana del primer domingo del trimestre, se dirige al individuo que está sentado al final de la fila, y lo sentencia de por vida a enseñar en el departamento de jóvenes. La moraleja de esto es: No se siente en el extremo de la fila.

La realización de cambios

Si puede, tenga la bondad de tomar una pluma y escribir en alguna parte al margen de esta página su respuesta a esta pregunta: ¿Cómo ha cambiado ... *últimamente*? Digamos, ¿durante la semana pasada?, o ¿durante el mes pasado?, ¿en el año pasado?

¿Puede contestar de forma *muy precisa*?, o ¿su respuesta será increíblemente vaga?

Usted dice que está creciendo. Está bien ... ¿cómo? «Bueno» usted diría, «de muchas maneras». ¡Magnífico! Dígame *una*.

Sepa que: la enseñanza eficaz solo viene mediante una persona cambiada. Mientras más cambie, más se convertirá en un instrumento de cambio en las vidas de los demás.

Si quiere convertirse en un agente de cambio, también *usted* debe cambiar.

Permítame representar gráficamente su vida. Si las flechas de su vida —sus linderos, sus preguntas, sus intereses, su energía mental— se mueven de esta forma...

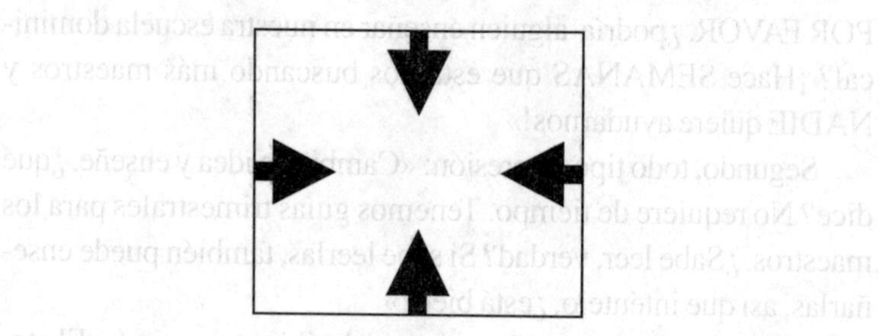

usted está en el proceso de morir. Pero si las flechas de su vida se mueven en estas direcciones...

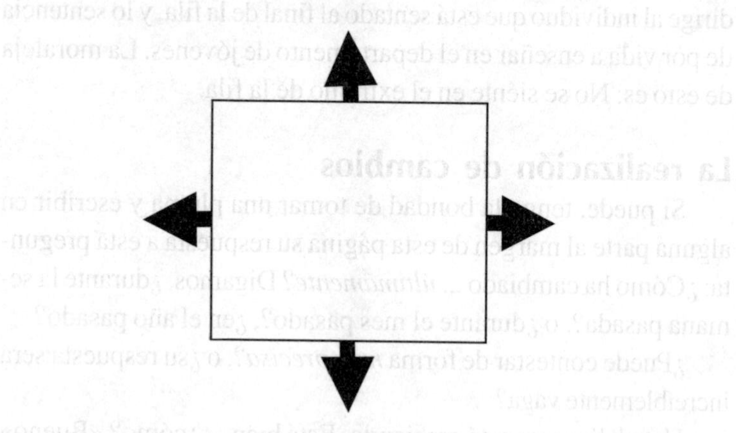

entonces usted se está desarrollando.

A propósito, esto no tiene nada que ver con su edad —tiene que ver por completo con su actitud.

Estoy tan cansado de encontrarme con personas que dicen:

—Bueno, hermano Hendricks, pero ya estoy muy viejo.

—¿Qué considera usted que sea ser muy viejo? —pregunto— ¿Ya se murió?

—Oh, no, no, todavía estoy vivo.

—Bien, entonces aprenda, o de lo contrario poco a poco se morirá mentalmente. Sino será mejor que se acueste y nosotros nos encargaremos de meterle en el cajón.

Las personas mayores pueden ser excelentes aprendices, pero a menudo están condicionados en contra del aprendizaje. En algún momento de su vida los infectaron con la idea de que al perro viejo no es fácil enseñarle nuevos trucos —lo cual es cierto, si fuéramos a enseñar perros, y si enseñáramos trucos.

Pero ni usted ni yo hacemos ni lo uno, ni lo otro. Estamos enseñando personas, y estamos enseñando la verdad.

Algunas de las personas más entusiastas y satisfechas que se conocen son las personas mayores que han decidido *no* dejar de aprender. Conozco estudiantes que tienen veinte o veinte y pico de años y tienen la cabeza muerta. Sin embargo, tengo amigos que tienen sesenta y cinco o setenta y cinco u ochenta y cinco años y están muy llenos de vida.

Hace un tiempo traje a uno de ellos a mi clase en el seminario, un hombre de noventa y tres que había sido salvo y había estado sirviendo a Cristo por ochenta y cuatro. Él le dijo a los estudiantes: «Lo único que realmente siento es tener solo una vida que dar para servir a Jesucristo». La clase se puso de pie y lo aplaudió durante seis minutos.

No hace mucho, perdí a una de mis mejores amigas, una mujer de ochenta y seis años de edad, la maestra laica más entusiasta que he conocido.

La última vez que la vi en el planeta Tierra fue en una de esas fiestas asépticas cristianas. Estábamos incómodos, sentados allí con caras piadosas, cuando ella entró y dijo: —Bueno, Hendricks, hace tiempo que no lo veo. ¿Cuáles son los mejores cinco libros que ha leído durante este año?

Ella tenía la habilidad de cambiar la dinámica de un grupo. Su filosofía era: No nos aburramos el uno con el otro; tengamos una discusión, y si no hay nada que discutir, peleemos.

Tenía ochenta y tres años cuando fue a Tierra Santa por última vez. Fue con un grupo de jugadores de la Liga Nacional de Fútbol Americano (NFL). Uno de los recuerdos más vívidos que tengo de ella es verla al frente gritándoles: «*¡Vamos, hombres, muévanse!*»

Murió mientras dormía en la casa de su hija en Dallas. La hija me dijo que justo antes de morir ella había escrito sus metas para los próximos diez años.

¡Ojalá que haya más personas como ella!

El apóstol Pablo es otro ejemplo. Casi al final de su vida, cuando ya la mayoría de las personas andan buscando sillas mecedoras, él dijo: «... olvidando ciertamente lo que queda atrás, y extendiéndome a lo que está delante, *prosigo* a la meta, al premio del supremo llamamiento de Dios en Cristo Jesús» (Filipenses 3.13-14).

Lea este pasaje con cuidado y verá que Pablo estaba correctamente relacionado al pasado; no estaba enamorado de sus éxitos ni derrotado por sus fracasos. Usted aprende del pasado, pero no vive en él.

Además, estaba correctamente relacionado al futuro. Aquí se encontraba su meta, su esperanza.

Y de igual manera estaba bien relacionado al presente. Aquí y ahora, dijo él: «extendiéndome». Estaba asido al desafío.

¿Cuántas personas en nuestras iglesias, a una edad en la que deberían estar conquistando el mundo, están, por el contrario, llegando al final por inercia. Por supuesto, a medida que uno va envejeciendo como yo, se le hace más difícil recordar las cosas que está aprendiendo porque ahora la memoria le falla. Jeanne y yo hemos estado memorizando los Salmos. A veces le pregunto:

—¿Me puedes recitar el Salmo 40?

Ella lo repite, y yo le digo:

—Maravilloso, mi amor, pero se te olvidó el versículo siete.

Luego, ella me pide que yo lo recite, y cuando termino, me responde:

—Howie, estás progresando tremendamente, pero se te olvidaron los versículos cuatro al dieciséis.

El crecimiento: una vista panorámica

Lo más emocionante de trabajar con algunos nuevos convertidos que he conocido es que cuando entienden algo de la Palabra de Dios inmediatamente salen corriendo por la puerta para ponerlo en práctica.

No ha pasado suficiente tiempo como para que aprendan todas los trucos que los que somos cristianos de años usamos. ¡Tenemos tantas maneras de esquivar la verdad! Cuando nos topamos con algo que no queremos cambiar en nuestras vidas, le buscamos salidas como: «Bueno, eso se refiere a los judíos». Es asombroso cuánto le achacamos a ese pueblo querido.

Para fortalecer su propio compromiso con el cambio y el desarrollo, recuerde que *crecer* es algo que hasta el mismo Jesús hizo. Lucas 2.52 explica el proceso de desarrollo en su vida: «Jesús *crecía»,* se nos dice, en cuatro áreas:

Crecía «en sabiduría». Ese es el desarrollo intelectual.

Crecía «en estatura» —desarrollo físico.

Crecía «en gracia para con Dios» —desarrollo espiritual.

Y crecía «en gracia para con los hombres» —desarrollo social y emocional.

Dese cuenta que el desarrollo espiritual *es parte de un proceso más amplio*. No puede ser nuestra única preocupación. El desarrollo espiritual no debe aislarse, sino integrarse con todos los demás aspectos de la vida.

Es aquí donde hemos estado fallando.

Como profesor de un seminario teológico, enseño algunos de los estudiantes más sinceros y altamente motivados en todo el mundo —hombres y mujeres jóvenes que escalan las alturas con dedicación. No están para perder el tiempo.

No obstante, extrañamente, a muchos de ellos nunca se les ha ayudado a entender que no se desarrollarán espiritualmente por completo si no lo hacen también en las otras áreas de la vida: intelectual, física, social y emocional. Usted no puede descuidar una de estas áreas sin poner en peligro su desarrollo en todas. De la misma manera, usted no puede desarrollarse en cualquiera de estas áreas sin afectar a todas las demás.

Así que no limite a Jesucristo a algún compartimiento religioso diciendo: «Un capítulo al día, mantendrá al diablo en la lejanía». Despierte a la realidad de que cada día usted puede darle al Señor de su vida más control sobre todos los aspectos de su ser. Esto es lo que hace la vida cristiana dinámica y no estática. Esto es lo que preserva su efervescencia como persona.

Pero, por favor, note desde el principio que esto es un proceso altamente individualizado. Todos venimos de distintos trasfondos y estamos en diferentes etapas de desarrollo en la vida cristiana. Por eso es que la comparación es carnalidad. No gaste su tiempo comparándose con él o con ella porque usted no es él ni ella. Usted es *usted*.

Así que vuelva al principio y en cada área importante de su vida pregúntese: «Señor, ¿cómo me va?»

En algunos de estos campos de la batalla del crecimiento usted saldrá muy bien, y estará demostrando pasos gigantescos de mejoría. En otros saldrá bastante mal y le faltará mucho por llegar.

Descubrirá que necesita *retener* algunos de sus valores y hábitos.

Necesita *refinar* algunos de ellos.

Y necesita sencillamente *rechazar* algunos de ellos.

Pero todos estamos en el mismo barco, porque todos estamos *en el proceso* del desarrollo. Y en este proceso, qué maravilloso es preguntarse: «¿Estoy haciendo las cosas apropiadas?» Uno de los grandes temores que tengo en cuanto a mis estudiantes no es que fracasen después de graduarse, sino que tengan éxito haciendo cosas equivocadas —que lleguen al final de la carretera y descubran que ese no es el destino que querían alcanzar, y que este no los puede realizar plenamente.

He estado participando en un ministerio para atletas profesionales y algo que cada uno debe encarar es que puede hacer una montaña de dinero, tener tremenda influencia y mujeres rendidas a sus pies, y sin embargo nunca llegar a comprender quién es realmente. ¿Hay vida después del fútbol? ¿O usted solo acaba con una bonita colección de trofeos y una gaveta llena de recortes de las páginas deportivas? No hay nada más rancio que un atleta viejo.

Su dimensión intelectual

Permítame hacerle tres sugerencias para ayudarle a crecer en la dimensión intelectual de su vida.

1. *Mantenga un programa constante de estudio y lectura.* Entienda que los líderes son lectores y los lectores son líderes. Pero me encuentro con muchas personas que dicen: «Sabe, Dr. Hendricks, estoy leyendo muchas cosas, pero francamente no encuentro que esto cambie mi vida o que contribuya mucho». Aquí tiene una solución: Si tiene una hora dedicada para la lectura, trate de leer la primera media hora y use la segunda media hora para *reflexionar* en lo que leyó. Verá la diferencia que esto hace. Está leyendo demasiado si reflexiona muy poco en lo que lee.

   Y no se dedique solo a leer libros, sino también a leer personas. Los dos factores que le influenciarán más en los años venideros serán los libros que lee y las personas con las cuales se rodea. Las personas estimulan, y será más fácil interesarse en ellas a medida que experimente lo fascinante que es hacerlo.

Una de las mejores lecciones que mi padre me enseñó fue esta: Cada vez que estés cerca de una persona importante, mantén tu boca cerrada excepto para hacer preguntas perspicaces. Si está con personas que saben más que usted, aproveche sus conocimientos y saque ventaja de lo que ellos saben. Deje que ellos sean los que hablen y le digan todo lo que saben.

Nunca deja de asombrarme lo poco que aprovechamos al máximo a la persona recurso. Me han hecho volar por toda Norteamérica y me han pagado una cuota de consultor solo para sentarme con un grupo de personas que han pasado la mayor parte del tiempo discutiendo las unas con las otras.

2. *Matricúlese en cursos de educación continua* —cursos que mejorarán no solo el contenido de su enseñanza, sino también su habilidad para enseñar. En la actualidad se ofrecen más y mejores oportunidades para enriquecer su mente y desarrollar sus dones.

   Pero el curso más importante es su programa personal de estudio de la Biblia. En todos mis años nunca he encontrado a un laico o a una laica que tenga un ministerio espiritual significativo y que no se esté alimentando bien con la Palabra de Dios.

   Muchos de los que estamos sometidos a la enseñanza de la Palabra de Dios no estamos estudiándola por nuestra propia cuenta —profundizando en ella y dejando que entre en nosotros. Una vez una mujer me dijo:

   —Dr. Hendricks, he recorrido la Biblia veintinueve veces.

   —Magnífico, señora, —le contesté—. ¿Y cuántas veces ha recorrido la Biblia por usted?

   Cuando la Palabra de Dios está en el centro de un ministerio de enseñanza, ninguno que esté vivo puede imaginar del todo el impacto que este pueda tener. En 2 Timoteo 2.2 Pablo nos provee un conocimiento refrescante y profundo al respecto. Él le está diciendo a Timoteo: «Te he comunicado el cuerpo de verdad que recibí por revelación y con este he edificado en tu vida. Ahora te encargo que tomes esta misma verdad y la deposites en las vidas de otras personas de confianza, enseñándoles de forma tal que estén capacitadas para enseñar a otros... que a su vez enseñarán a otros... y estos a otros».

Es un ministerio de *multiplicación*. Cada vez que usted enseña, da inicio a un proceso que idealmente nunca terminará, generación tras generación.

3. *Conozca a sus estudiantes.* Conviértase en una autoridad respecto a las necesidades y características generales de las personas de la edad a la que usted instruye. Pero vaya más allá, conózcalos individualmente. Aprenda lo más que pueda acerca de ellos.

   Hace años en una iglesia en Dallas experimentamos dificultades en encontrar un maestro que enseñara al grupo de adolescentes. La lista de los candidatos solo tenía un nombre. Cuando me dijeron quién era, dije: «Seguramente están bromeando». Pero no pude estar más equivocado acerca de este joven. Tomó la clase y la revolucionó.

   Yo estaba tan impresionado que lo invité a mi casa para almorzar y le pregunté el secreto de su éxito. Sacó una libreta negra chiquita. En cada página tenía una pequeña fotografía de uno de los muchachos, y debajo del nombre de cada uno había comentarios como estos: «tiene problemas con la aritmética», o «viene a la iglesia en contra de la voluntad de sus padres», o «algún día le gustaría ser un misionero pero no se siente capacitado».

   Me dijo: «Estas páginas son el tema de mis oraciones diarias y casi no puedo esperar llegar a la iglesia cada domingo para ver lo que Dios ha estado haciendo en sus vidas».

   Lo reto a orar por sus estudiantes de esta forma, ya sean niños de cuna o adultos mayores. Pero déjeme hacerle una advertencia que proviene de mucha experiencia: A medida que trabajamos con las personas siempre recuerde que las etiquetas mienten. Con mucha frecuencia etiquetamos a nuestros estudiantes: «ella nunca habla», «él sigue siendo un problemático», y cosas semejantes. Nunca cuelgue una etiqueta como esa en el cuello de alguien.

En el quinto grado de la escuela pública tuve una maestra llamada Srta. Simon. Nunca la olvidaré ... y dudo que ella me haya olvidado. El primer día de clase, cuando le dije mi nombre, ella dijo: «¡Ah, Howard Hendricks. He oído hablar mucho de ti. Entiendo que eres el peor muchacho de esta escuela».

«¡Qué desafío!», pensé. *«¡Si cree que soy el peor de los muchachos en la escuela, le garantizo que nunca pasaré al segundo lugar!»* Y no la defraudé.

A veces le pregunto a los maestros: «¿Cuáles son los muchachos de su clase que más les gustan?» Y ellos van a decir: «Ah, allí hay una niñita muy bonita con rizos largos, que es muy calladita y nunca me molesta». Bueno, en veinte años tal vez siga así de calladita. Pero el muchacho que hoy está subiendo por las paredes, quizás mañana sea su pastor o un misionero. Los muchachos con suficiente energía creativa para meterse en problemas son los que pueden tener suficiente impulso para más tarde vivir una vida muy significativa para Jesucristo. A veces vienen a nuestras clases de escuela dominical tan energéticos y entusiastas y curiosos, y ¿qué hacemos?; los oprimimos hasta quitarles el entusiasmo: «¡Oye, ya está bueno! ¿No sabes que estás en la escuela dominical?»

Su dimensión física

¿Existe algo en la dimensión física de su vida sobre la cual, en obediencia a Cristo, usted no tiene el control adecuado?

¡Ay, hemos tocado un punto delicado! La dimensión física es el área que los cristianos evangélicos descuidan con más fre-

cuencia. ¿Por qué?: porque somos muy dados a negar nuestra humanidad. Como consecuencia, siempre estamos prostituyendo el cuerpo, aunque igual hay esperanza para él como para el alma. La Biblia está tan llena de esta enseñanza que es asombroso que no nos percatemos de ella. (A propósito, si quiere conocer las áreas de su vida cristiana que necesitan más ayuda, en algún momento busque en su Biblia los pasajes que *no* ha subrayado.)

Hablamos muchos de tener la plenitud del Espíritu Santo. Por lo tanto, es fascinante ver en cuáles áreas de nuestras vidas tendemos a aplicar este concepto, y en cuáles áreas casi siempre lo evitamos.

Permítame hacerle una pregunta más personal. ¿Están sus finanzas bajo control? La mayoría de los consejeros financieros cristianos le dirán de primera mano que en esto somos muy descuidados. ¿Sabía usted que el 80% de los norteamericanos tienen más deudas que el valor neto de sus posesiones? Y sin embargo, una suma increíble de dinero nos pasa por las manos. Los cristianos norteamericanos, en especial, tendrán que rendir muchas cuentas cuando llegue el momento del juicio ante Cristo, porque a quien mucho se le dio, mucho se le pedirá.

¿Y qué de sus posesiones materiales? Mi esposa, Jeanne, y yo fuimos una vez a cenar con un hombre rico, proveniente de una familia de sangre azul de Boston, a quien le pregunté: —¿Cómo se las arregló para crecer en un ambiente de tanta riqueza económica y no dejar que el materialismo lo consumiera?

Su respuesta fue: —Mis padres nos enseñaron que todo lo que había en nuestro hogar era un ídolo o una herramienta.

Y usted, ¿qué perspectiva tiene acerca de sus posesiones?

¿Y qué me dice en cuanto al uso de su tiempo? ¿Tiene control de él? Porque si *usted* no lo controla, alguien más lo hará; alguien que no tiene sus mismas prioridades. Dondequiera que voy encuentro a personas que tienen un plan maravilloso para mi vida, y por lo general me dicen que ese también es el plan de Dios.

¿Está su vida sexual bajo control, aun en el contexto de una sociedad inmunda como en la que vivimos? Muchas personas nunca han permitido que Jesucristo invada su vida sexual. Y, cuando sienten que algo anda mal en este aspecto de su matrimonio se pasan todo el tiempo buscando una nueva técnica porque han descuidado sus relaciones. Nunca han dejado que Jesucristo los libere de sí mismos de manera que se sientan libres para compenetrarse con su cónyuge en la relación más íntima que existe sobre la tierra.

¿Qué efecto tiene el hecho de que usted sea cristiano sobre las cosas en que piensa? Tanto en el seminario como en mis viajes encuentro hombres y mujeres jóvenes que han llenado sus mentes con basura y luego me preguntan: «¿Por qué no hay santidad en mi vida?» Recientemente le dije a un joven que leía *Playboy* y *Penthouse* con regularidad: «¿Realmente crees que esto te hará un hombre de Dios?»

¿Cómo anda su dieta? Si yo organizara una conferencia en su iglesia y llegara borracho, usted me despediría de inmediato. Pero si llego con un sobrepeso de cincuenta libras usted me alimentaría aun más, ¿no? Sin duda, después de todo no puede haber una reunión cristiana sin comida. ¿Alguna vez se ha preguntado cómo la iglesia primitiva se las arregló sin café ni bizcochos? Permítame decirle: Tenían algo mejor que los unía —la persecución. Esta sí crea la unidad en un dos por tres. Bueno, ya que nos sentimos suficientemente culpables, pasemos a otro tema.

¿Qué de sus ejercicios? El Dr. Kenneth Cooper, que popularizó el concepto del ejercicio aeróbico, tiene un testimonio cristiano sólido. Le dijo a una audiencia de aproximadamente 300 ó 400 estudiantes en nuestro seminario que con un programa sistemático de ejercicios, cada uno de ellos podía agregar de cinco a quince años a su ministerio. ¡Piense en las implicaciones!

Usted también necesita descansar —y no solo dormir sino experimentar un cambio de ritmo. Encontré una gráfica sencilla pero interesante que me ha ayudado a buscar equilibrio en mi vida:

¿Cuánto tiempo invierto con otras personas?	¿Cuánto tiempo reservo para estar solo?
¿Cuánto tiempo dedico al trabajo?	¿Cuánto tiempo paso en diversiones?

La mayoría de nosotros tendemos al desequilibrio en por lo menos una de estas áreas.

Una vez visité a uno de mis antiguos alumnos para estar con él durante una semana de reuniones ministeriales. Tan pronto como llegué, su esposa me llevó a un lado para decirme: —Por favor, dígale algo a mi esposo. Solo duerme un promedio de cinco horas y está en camino a cuatro, y francamente, ya no lo soportamos. Está sacando de quicio a los niños.

Casi a fines de esa semana él y yo íbamos hablando en el automóvil, y mientras él conducía, le pregunté:

—Oye, muchacho, ¿cómo es que no fumas?

Casi nos salimos de la carretera.

—Profe —por fin contestó— nunca he fumado.

Sí —le dije—, noté que no has encendido ni un solo cigarrillo durante toda la semana.

Para ese entonces había comenzado a mirarme un poco raro, como si me faltara un tornillo.

—¿Por qué no fumas? —le pregunté.

Profesor —me dijo— mi cuerpo es el templo del Espíritu Santo.

Sí —le dije—, así es. Fantástico. Bien pensado.

Entonces agregué:

—¿Es por eso también que duermes un promedio de cinco horas por noche, ya casi cuatro, y que estás enloqueciendo a tu familia?

No le hubiera zarandeado tanto si le hubiera dejado caer una viga en la cabeza.

Su dimensión social

¿Cómo anda la dimensión social de su vida? ¿Quiénes son sus amigos?

¿Solo comparte con los bautistas? («Después de todo, ¿no son ellos el pueblo que tiene la razón, y los demás solo los que creen tenerla?»)

¿Tiene amigos no cristianos?

Nuestros estudios acerca de evangelización relacional eficaz demuestran que la persona promedio que viene a Cristo solo es útil por dos años. Después de esto, se aparta de sus amigos no creyentes, o ellos se apartan de él. Por lo general, sucede lo primero.

¿Conoce a personas perdidas? Usted dirá: «Bueno, yo soy un predicador.» Cierto, pero eso no lo excusa de ser un cristiano. Intente ser alguien más que la posición que ocupa, y no permita que esta sirva de obstáculo. Intente ser una persona.

No sé si su experiencia concuerde con la nuestra, pero Jeanne y yo hemos descubierto que, socialmente hablando, una de las cosas más difíciles de hacer es compenetrarse constructivamente con un grupo de cristianos. Algunas de nuestras reuniones son tan inútiles que insultan nuestra inteligencia.

Así que les invito a pensar creativamente acerca de cómo interactuar con sus amistades y conocidos, y ver qué puede hacer Dios con nuestras relaciones.

¿Y, qué de tener amigos de diferentes edades? ¿Conoce a niños pequeños? Es decir, ¿los conoce realmente de manera que le digan Tío o algo semejante, y crean que usted es lo máximo?

¿Conoce algunos adolescentes? La mayoría de nosotros les tenemos pánico. Cuando nuestros cuatro hijos eran adolescentes, Jeanne y yo invitábamos a las visitas y yo les advertía con anticipación:

—Miren, deben saber que cuando vengan, van a tener cuatro pares de ojos adolescentes clavados encima de ustedes. Si eso les asusta, tal vez prefieran no venir.

—No, no, está bien ... ¿ellos muerden?

—No sé. Vengan y veremos.

Así que enriquezca el círculo de sus amistades. Y ya que estamos en el tema, permítame darle una verdadera prueba de un amigo íntimo. Es alguien que

... sabe todo acerca de usted, y aun así lo acepta;

... le escucha hasta las ideas más herejes, sin rechazarlo;

... y, sabe cómo criticarlo de tal forma que usted escuche.

Me llevó diez años permitir que Jeanne se convirtiera en mi mejor amiga porque me horrorizaba que ella supiera cómo era yo realmente, y cuáles eran mis ansiedades temores más profundos. *«Si ella se entera»,* pensaba *«me rechazará».*

Por fin me di cuenta que ella ¡ya me conocía! ... y sin embargo, me aceptaba tal y cómo era. Eso me liberó.

¿Cómo me va?

Por último, recuerde que una vida no examinada no vale la pena vivirse.

En nuestro hogar tenemos lo que sospecho que ustedes también tienen en el suyo si son padres —una gráfica de crecimiento para marcar el desarrollo de los niños. La nuestra estaba en la parte de atrás de la puerta del ropero. De hecho, cuando vendimos la casa, quitamos la puerta, la reemplazamos con una nueva, y nos llevamos la que estaba marcada.

Una vez, cuando Bev, nuestra segunda hija, era muy pequeña pero, sin embargo, muy interesada en el crecimiento, me prometió que crecería mientras yo estuviera fuera en un viaje ministerial por un par de semanas. Cuando volví y bajé del avión me saludó así: «¡Papá, vamos pronto a la casa! ¡Tenemos que ver cuánto crecí!» Así que fuimos a la casa y la medí contra la puerta del ropero. No pasaba de unos cuantos milímetros, pero ella saltaba de alegría. «Papá, te lo dije, ¡crecí!» Entonces fuimos a la sala para pasar un tiempo especial conversando y ella me hizo una de esas preguntas que uno desea que los niños nunca hagan:

—Papi, ¿por qué las personas grandes dejan de crecer?

No sé lo que le dije, pero estoy seguro que fue algo muy superficial como:

—Bueno Bev, debes entender que ellos dejan de crecer a lo alto, pero no a lo ancho; son como un bello gavetero, pero con la gaveta del medio abierta.

Pero mucho después de que ella se fue, Dios usó lo que ella había dicho para seguir obrando en mí. ¿Por *qué* es que las personas grandes dejan de crecer? ¿Qué me pasa? ¿Por qué es que dejan de crecer los profesores del seminario? Frecuentemente, así es; ellos dejan de crecer igual que cualquier otra persona. Pero, ¿por qué?

Esto representa un peligro para todos los maestros. Hay personas que me han dicho: «Hermano Hendricks, he estado enseñando en este departamento durante veintitrés años». Bueno, ¿y qué prueba eso? La gracia de Dios, eso es todo.

Hace mucho tiempo aprendí que si uno multiplica el cero por cualquier número, el resultado siempre será cero. Después de todo, la experiencia no siempre hará de usted una mejor persona, de hecho tiende a hacerlo peor, a no ser que usted evalúe la experiencia.

La amenaza más grande que el buen maestro enfrenta es la satisfacción; dejar de preguntarse continuamente: «¿Cómo puedo mejorar?». La amenaza más grande a su ministerio es *su ministerio.*

Así que no esté tan ocupado que esto le impida que *llegue a ser* una persona significativa. No dude en reevaluar lo que está haciendo y preguntar: «Señor, ¿cómo voy, a la luz de lo que TÚ quieres que yo sea?»

Como con toda evaluación, cualquier autoexamen debe basarse en tres preguntas:

(1) ¿Cuáles son mis puntos fuertes? (2) ¿Cuáles son mis debilidades? (3) ¿Qué tengo que cambiar?

Y recuerde: El proceso para cambiar es esencialmente alterar sus hábitos. Si hace algo una vez, lo puede hacer dos veces. Hágalo dos veces, y lo puede hacer tres veces. Hágalo tres veces, y habrá comenzado a crear un hábito.

Pedestales vacíos

Recientemente, en una barbería, inicié una conversación con un muchacho que había visto allí antes. Después de un rato le pregunté:

—¿A quién te gustaría parecerte?

—Señor, me dijo, no he encontrado nadie a quien quiera parecerme.

Como él hay muchos. Todos los que están afuera en el campo de batalla saben a qué me refiero. Los niños no están buscando un maestro perfecto sino uno que sea honesto y que esté creciendo. No obstante, para muchos de ellos los pedestales están vacíos.

En la actualidad nuestra tierra está repleta de jóvenes —y también adultos— que están quebrantados, que no tienen idea de por qué Jesucristo vino a visitar nuestro planeta, y que tampoco saben que la Biblia tiene respuestas para sus problemas.

Lo que necesitan desesperadamente es ver hombres y mujeres que conozcan la Palabra viva de Dios, que sean estudiantes constantes de ese Libro, y se dejen asir de él para madurar y así odiar lo que Dios odia y amar lo que Dios ama.

Y a medida que ellos mismos hagan suya esa verdad, y ella comience a transformarles.... ellos harán un impacto.

Para reflexionar

(Preguntas para su evaluación personal y para discusión con otros maestros).

1. ¿Cuáles áreas de crecimiento de su vida en el año pasado, piensa usted que son más notorias para aquellos a quienes usted enseña?

2. ¿Cuáles, diría usted, son las formas más importantes en las que usted ha crecido en sus creencias y actitudes hacia la *enseñanza*?

3. Para cada una de estas tres marcas de un buen maestro: fidelidad, disponibilidad y habilidad para enseñar —evalúese a sí mismo con las preguntas:
   (a) ¿Cuáles son mis puntos fuertes?

   (b) ¿Cuáles son mis debilidades?

   (c) ¿En que formas debo cambiar?

4. Dé ejemplos de cómo piensa usted que el desarrollo espiritual de una persona se afecta por su crecimiento —o falta de crecimiento— en cada un de estas tres áreas: física, intelectual y social.

La verdadera función del maestro es crear las condiciones más favorables para el autoaprendizaje...
La verdadera enseñanza no es la que imparte conocimiento, sino la que estimula a los alumnos a obtenerlo. Es posible decir que enseña mejor quien enseña menos.

—John Milton Gregory

Capítulo 2

LA LEY DE LA EDUCACIÓN

Como maestro eficaz usted debe conocer no solo lo que intenta enseñar —es decir, el contenido— sino también a quienes desea enseñar.

Usted no está interesado simplemente en inculcar principios; usted quiere contagiarlos para que ellos estén tan emocionados con los principios como lo está usted.

Por lo tanto, *la manera en que las personas aprenden determina cómo usted enseña*. Esta es la ley de la educación.

El concepto detrás de esta ley es lo que John Milton Gregory, en su clásica obra *The Seven Laws of Teaching* [Las siete leyes de la enseñanza], llama la ley del proceso de la enseñanza. Esta comprende estimular y dirigir *las autoactividades del estudiante* —esta es la expresión clave.

De hecho, podríamos ampliar la definición de esta manera: El maestro debe entusiasmar y dirigir las autoactividades del estudiante y como norma (aunque más adelante daré algunas excepciones), *no decirle nada —ni hacer nada por él— que pueda aprender o hacer por sí mismo*. Por lo tanto, lo que es importante no es lo que usted hace como maestro, sino lo que los estudiantes hacen como resultado de lo que usted hace.

Esta definición le asigna roles bien definidos tanto al maestro como al estudiante: El maestro primeramente es un estimulador y motivador... no el jugador, pero el entrenador que anima y dirige a los jugadores.

El estudiante es principalmente un investigador, un descubridor y un hacedor.

Así que, de nuevo, la última prueba de la enseñanza no es lo que usted hace o lo bien que lo hace, sino qué y cómo lo hace el estudiante.

Mi hija mayor, Barb, tomó clases de violín del primer violinista de la Orquesta Sinfónica de Dallas, y esto me costó una fortuna. Cuando llegó la hora del recital, ¿quién cree que tocó? No fue él. Nunca lo he oído tocar en ninguno de los recitales a los que he asistido... nunca lo he escuchado decir: «Damas y caballeros, déjenme demostrarles lo bien que domino este violín». No, yo no le pagaba para que él *tocara* sino para que enseñara a Barb, y lo que yo quería saber era si ella podía tocar bien como resultado de lo que él le enseñó.

Los buenos maestros no deben enfocarse en lo que *ellos* hacen, sino en lo que sus estudiantes están haciendo.

Platón dijo algo que usted debe saber de memoria: «Lo que en un país se honra allí se cultiva». Entonces, ¿qué considera de gran estima en quienes usted enseña? ¿Se conforma con el hecho de que le puedan dar todas las respuestas correctas y recitar todas las verdades cristianas? ¿Eso le satisface?

Algunos de mis estudiantes del seminario se molestan porque nunca me dejo impresionar por lo mucho que saben. Para impresionarme sueltan, por aquí y por allá, palabras en griego y hebreo, y luego entonces yo les digo: «¿Y qué? ¿Cómo aplican esto en sus vidas?»

Pero con frecuencia ese no es el énfasis en nuestro sistema educativo actual, en el cual la enseñanza se reduce a decir y el examen es sencillamente un indicador de cuántos datos uno puede introducirse en el cerebro —los maestros están interesados en la cantidad de información que el estudiante puede meter en su cabeza para después vaciarla en un pedazo de papel. Una vez en un pasillo del seminario me encontré con un alumno que iba de camino a un examen. Parecía estar en trance. Me acerqué para poner mi brazo sobre su hombro y hablarle cuando me dijo bromeando: «Profe, ¡no me toque que se me va a salir todo lo que sé!»

Este no es el concepto correcto de educación.

Muchas personas que nunca han asistido a una clase universitaria tienen una educación brillante. Son hombres y mujeres sabios que han recibido y están recibiendo una educación. Tal vez no lo sepan todo pero lo que ellos saben lo aplican —y Dios los usa como instrumentos para realizar sus propósitos.

La tensión

El psicólogo Abraham Maslow señaló cuatro niveles de aprendizaje.

El punto de partida del estudiante —el nivel básico donde todos comienzan— es la *incompetencia inconsciente*: Es decir, usted carece de conocimiento y no lo sabe.

El próximo nivel es la *incompetencia consciente*: Ahora usted sabe que no sabe.

¿Cómo lo descubrió? Por lo general alguien se lo dice, pero de vez en cuando usted lo descubre por sí mismo.

El tercer nivel es la *competencia consciente*: Usted ya ha aprendido, por ejemplo cuando aprendió a conducir un auto por primera vez, pero lo hace conscientemente.

El último nivel es la *competencia inconsciente*: Usted es tan competente que deja de pensar en lo que está haciendo: Sube a su automóvil, gira la llave de ignición, suelta el freno, opera el cambio de las velocidades, y sigue pasando a través de una serie de actividades coordinadas sin siquiera pensar en ellas. En realidad, mientras conduce pasa la mayor parte del tiempo pensando en otras cosas menos en conducir.

El arte de enseñar —y la dificultad de aprender— está en lograr que las personas se coloquen a sí mismas al principio de dicho ciclo de aprendizaje, que desciendan al punto más bajo del mismo a fin de iniciar el proceso del aprendizaje.

No será fácil ni para usted, ni para ellos. Pero no hay crecimiento, no hay desarrollo, no hay aprendizaje... sin *tensión*. La tensión es absolutamente indispensable para la eficacia del proceso.

Ahora, sin duda, demasiada tensión resulta en frustración, estrés y ansiedad. Pero, por otro lado, muy poca tensión produce apatía.

Así que Dios se mueve en nuestras vidas por diseño divino para periódicamente afectar nuestro equilibrio. Así es como Él nos desarrolla.

Oramos de esta manera: «Señor, hazme como tu Hijo», y nos levantamos y nos vamos, y todo en la vida se descontrola. Y entonces decimos: «Señor, ¿qué pasó?» Lo que pasó es que Él está contestando nuestras oraciones. Recuerde que Jesucristo, aunque era Hijo, aprendió la obediencia por medio de lo que sufrió.

¿Hace que las personas en su clase siempre se sientan cómodas? ¿O permite que se afecte su equilibrio para que así reconozcan: *Tengo que estudiar más la Palabra de Dios y pensar más; y poner estas verdades en práctica en la vida real?*

Una técnica que a menudo uso como maestro es la dramatización. En una ocasión Jeanne y yo enseñamos juntos una clase de casi quinientas esposas de seminaristas. Por turnos, cada uno enseñaba una breve sección. Pero llegamos a un punto cuando Jeanne comenzó a hablar que la miré y le dije severamente:

—Jeanne, habíamos decidido no hacer esta parte.

—Howie —dijo ella bruscamente—, esto es exactamente lo que decidimos hacer antes de venir aquí.

Y comenzamos a discutir.

Inmediatamente se apoderó de la audiencia un silencio tenso. Se sentía la tensión en todo el salón tanto que si se hubiera encendido un fósforo hubiéramos sido los próximos en llegar a la luna.

Cuando al fin terminamos —y todos se dieron cuenta de que era un argumento planeado— el lugar explotó en aplausos. No tuvimos miedo de ser transparentes ante ellos, asumimos el riesgo de dar a conocer que ella y yo sabíamos algo acerca de cómo discutir el uno con el otro. Así, la tensión resultante elevó el aprendizaje.

A propósito, una dramatización realmente puede motivar la participación del estudiante. Uno de mis estudiantes usó esta técnica en una iglesia bautista en la que estaba enseñando una clase sobre la comunicación en el matrimonio. Él invitó a una pareja del seminario que nadie más en la clase conocía para que participaran como si fueran visitantes. Mientras que él estaba dando su conferencia, la pareja comenzó a discutir, susurrando el uno al otro con tono airado.

—¿Para qué me trajiste aquí? —preguntó el hombre.

—¡Cállate! —respondió ella.

—Te dije que no quería oír nada de estos asuntos religiosos —contestó él.

De repente otro hombre en la clase se inclinó para decirle al esposo: «Hombre, ¡dale su merecido!», aunque realmente esto no estaba en el programa.

¿Qué es lo que usted realmente intenta lograr?

Una vez fui a predicar a una iglesia en la costa occidental de los Estados Unidos de Norteamérica, y cuando me paré para hablar, encontré este letrero en el atril: «¿Ha pensado lo que su mensaje va a hacerles a estas personas?» Casi descarriló mi mensaje. Después del servicio hablé con el pastor de la iglesia acerca del letrero. Me dijo: «Hendricks, durante doce años prediqué sin tener un objetivo, hasta que por fin un día se me ocurrió que si yo no sabía lo que estaba haciendo, existía una buena posibilidad de que *ellos* no supieran lo que debían hacer. Así que ahora llego al púlpito con objetivos bien claros».

¿Y qué me dice de usted? ¿Tiene objetivos bien definidos para lo que usted enseña? ¿Sabe cómo impartir una verdadera educación?

Le voy a sugerir tres metas básicas al respecto, y aunque no quiero que usted se convenza de inmediato de su valor, lo desafío a interactuar con ellas. Si reflexiona lo suficiente en ellas y las adopta para su enseñanza, entonces en generaciones subsecuentes habrá personas que se levantarán y lo bendecirán.

Meta número uno: *Enseñe a las personas cómo pensar.*

Si quiere cambiar a una persona permanentemente, asegúrese de cambiar su manera de pensar y no solo su conducta. Si solo cambia su conducta, él no entenderá por qué la cambió. Resulta ser un cambio superficial, y por lo general, de corta vida.

Su meta como maestro es expandir la mente humana, la que a propósito es como una liga de goma; después de que se estira nunca más vuelve a su forma original.

Conozco a muchos estudiantes que temen que si se esfuerzan mucho van a dañar su cerebro... a desgastar ese aparato por el exceso de uso. Pero les tengo una noticia. Una vez le pregunté a un amigo patólogo en Filadelfia:

—¿Has visto muchos cerebros?

—Centenares de ellos —me dijo.

—¿Alguna vez has visto a uno desgastado?

—Nunca he visto uno que ni siquiera esté ligeramente usado —me contestó.

Así que atrévase y corra el riesgo.

Ahora, cuando hablamos de expandir la mente, no estamos hablando sencillamente de reordenar los prejuicios. Así es como la mayoría de las personas perciben lo que es pensar. Pero, estamos hablando de un proceso caracterizado por la exactitud... un proceso de sembrar semillas que germinarán —y que interesantemente— darán frutos. ¿Cuándo? Usted nunca lo sabe. Esto es lo emocionante de la enseñanza.

Algunos de mis exalumnos se me han acercado para decirme:

—Usted cambió el rumbo entero de mi vida.

—Eso sí me anima —les digo—. ¿Qué dije para cambiar el curso de tu vida? Entonces, repiten alguna afirmación profunda, y tengo que decirles:

—No recuerdo haber dicho eso, pero ¡está tremendo! Déjame anotarlo.

Si se pone a pensar, es muy probable que los maestros que usted recuerda como los mejores en su vida fueron aquellos que sembraron semillas —y hasta la fecha usted sigue recogiendo la cosecha de lo que ellos sembraron.

Nunca se intranquilice tanto por causa de una ocasión de enseñanza específica que se olvide de este hecho: *La buena enseñanza —y la verdadera educación— en esencia toma lugar durante una serie de momentos oportunos.* Existe una dinámica de oportunidades impredecibles de manera que cuando logramos llegar a la mente y el corazón del estudiante las condiciones favorables para el aprendizaje están presentes.

Marcos 4 es la ilustración clásica —la parábola del sembrador. Al leer esta parábola descubrirá que solo hay una variable en cada situación que describe Jesús. El sembrador es el mismo y la semilla es la misma, pero en cada caso la clase de tierra —y así la reacción del individuo— es diferente. Todo depende de cómo el individuo responde.

Sea lo que sea que haga, prepárese para explotar estos momentos favorables para la enseñanza; úselos para enseñar a los individuos sensibles a la instrucción a aprender a pensar. Y por favor, dese cuenta de esto: Si les va a enseñar cómo pensar, eso presupone que usted ya sabe hacerlo.

Yo fui cambiado para siempre por causa de algunos de los profesores que tuve en la universidad y en el seminario, y en muchos casos no tuvo nada que ver con la asignatura que enseñaban.

Pero todo sí tenía que ver con el hecho de que yo estaba expuesto a un ser humano que sabía cómo pensar y que tenía la increíble idea de que él podía enseñarme a hacer lo mismo.

El cristianismo —y en particular el evangélico— ha sido censurado en la esfera intelectual. Nada está más lejos de la verdad, pero muchos ven al cristianismo como el filtro de la persona que no piensa. Piensan que hacerse cristiano quiere decir meter la cabeza en un cubo y volarse los sesos con un revolver calibre 45. (En particular es este el punto de vista en cuanto a las mujeres. En la comunidad evangélica actual hay lugares en los cuales creo que gritaría si fuera una mujer —porque sé que si fuera a la iglesia y preguntara: «¿Qué puedo hacer por Jesucristo?», me dirían: «Hornear galletitas».)

Pero Jesús nos recuerda que debemos amar al Señor nuestro Dios con todo nuestro corazón, y con toda nuestra alma, y con todas nuestras fuerzas, y con toda nuestra *mente*. Así que, ningún cristiano puede seguir a Cristo y a la vez dejar de usar su mente.

Una segunda meta: *Enseñe a las personas cómo aprender*. Es decir, desarrolle estudiantes que sepan perpetuar el proceso de aprendizaje por el resto de sus vidas.

Piense por un momento qué involucra el aprendizaje. Aprender es siempre un proceso. Se está realizando todo el tiempo. Cada momento que usted vive, aprende y *mientras* aprende, vive. Deje de aprender hoy, y dejará de vivir mañana.

Es por eso que le felicito por leer este libro. Es el mejor elogio que me puede dar acerca de usted mismo. Con mucha frecuencia, las personas en nuestras iglesias *que más necesitan aprender* son las que raras veces intentan hacerlo. Es interesante, ¿no? Pero usted ha elegido otro camino. ¡Le felicito! Se ha involucrado en el proceso de aprender, y es muy emocionante. Lo mantendrá vivo.

No solo es un proceso emocionante sino también es lógico. Idealmente se compone de tres pasos: Va del todo, a la parte, y vuelve al todo. Esto es lo que llamamos *síntesis*. Pasa del gran cuadro a un análisis de las partes —desmenuzándolas, viendo el significado de las mismas a la luz del todo, para volverlas a unir de manera que todos salgan por la puerta pensando: *«Ahora lo entiendo y puedo usarlo»*.

Así que para involucrar a las personas en el proceso de aprendizaje, primero deles la vista panorámica. Algunas personas —listas, con habilidad para expresarse, capaces— han estado en nuestras iglesias durante todas sus vidas y todavía no han captado el hilo del asunto, porque tendemos a especializarnos en el análisis de las partes.

Una vez cuando fui invitado a predicar a una iglesia, los ancianos dijeron:

—Hendricks, ¿nos podría hacer un favor? Prométanos no predicar sobre Efesios.

Decidí bromear un poco.

—¿Saben algo? —les dije—, nunca voy a una iglesia en la cual me digan lo que debo o no predicar.

—Oh, no, no, usted no entiende —dijeron—. Lo que sucede es que nos hemos pasado tres años en Efesios, y apenas estamos comenzando el segundo capítulo.

Esto es de esperarse ... y es por eso que la mayoría de las personas en nuestras iglesias terminan con nada más que doce cestas llenas de fragmentos. Carecen del gran cuadro.

El proceso del aprendizaje no solo es emocionante y lógico, sino que también es un proceso de descubrimiento. La verdad es siempre más provechosa y más productiva cuando uno la ve por sí mismo.

Durante más de tres décadas he estado enseñando en el Seminario Teológico de Dallas una asignatura acerca de cómo estudiar la Biblia por sí mismo. De las asignaturas que he tenido el privilegio de enseñar, esta es la que más he disfrutado. Después de que los alumnos estudian el pasaje de las Escrituras que les he asignado, regresan a la clase y nunca hay suficiente tiempo para que ellos compartan todo lo que descubrieron.

A menudo algún estudiante me desafía en forma amigable:

—Dr. Hendricks le apuesto que jamás ha visto esto —él está pensando que tampoco ni Juan Calvino ni Martín Lutero tuvieron la más mínima idea al respecto.

Y después de que relata una preciosa verdad extraída del texto, usted nunca ha visto a un profesor de seminario que se emocione como yo.

Pero, ¿qué hacemos algunos de nosotros con una persona como esta? Le decimos:

—Sí, Guillermo, está bien. De hecho, cincuenta y tres año atrás, cuando primero conocí a Jesús, yo también aprendí esa verdad.

Como resultado, la verdad no entusiasma al oyente promedio en las iglesias evangélicas más bien lo entumece. El programa educativo en las iglesias es a menudo un insulto a la inteligencia de las personas. En lugar de enseñarlas a crecer por medio de la Palabra de Dios que realmente es viva, les estamos dando flores recortadas y marchitas. Nunca han tenido la experiencia de aprender la Palabra de Dios con el método de *aprendizaje por descubrimiento*... de afirmar por sí mismos: «Esto es lo que Dios ha dicho. Esto es lo que Él quiere que yo haga. ¡Tengo que contárselo a alguien para que también experimente cambios en su vida como los que yo estoy teniendo!»

El tercer objetivo: Enseñe a las personas cómo trabajar.

Este concepto nos regresa al principio de nunca hacer por el estudiante lo que él puede realizar por sí mismo. Si lo hace, hará de él o de ella un incapacitado... un parapléjico pedagógico.

Si alguna vez visitó el *Yellowstone National Park* [el Parque Nacional Yellowstone], es probable que un guardabosque le diera un pedazo de papel a la entrada del parque. En este papel está escrita con letras grandes la advertencia: «No alimente a los osos».

No obstante, apenas entra en el corazón del parque, ya ve a las personas dándole de comer a los osos. La primera vez que vi esto le pregunté al guardabosque al respecto.

—Señor —me contestó—, y eso que usted solo ha visto una pequeña parte del panorama. Describió cómo el personal del parque, durante el otoño y en el invierno, tiene que sacar los cuerpos de osos muertos, osos que perdieron la habilidad de buscar comida por sí mismos.

Y eso mismo es lo que nos está pasando.

Quiero hacerle una pregunta. Puede ser que usted mismo se reconozca como culpable, así que amárrese el cinturón.

¿Es usted uno de los culpables? ¿Es usted parte del problema, o está trabajando en la solución?

Nunca olvide que su tarea es desarrollar personas que sean autodirigidas, que sean disciplinadas, que hagan lo que hacen porque ellos deciden hacerlo. Por eso es que yo sugiero que emplee más tiempo cuestionando respuestas que contestando preguntas. Nuestra tarea no es dar respuestas rápidas y fáciles, soluciones medicinales que nunca funcionan en la vida real. Es muchísimo mejor tener estudiantes que salgan de la clase rascándose la cabeza con preguntas en las cuales pensar y de las cuales hablar, y ansiosos por solucionar en la semana entrante los desafíos que surgieron durante la lección.

Entonces usted sabrá que se está realizando la *enseñanza*, en lugar de ver bostezos disimulados.

Y antes de dejar este tema, le aseguro que requiere esfuerzo lograr que las personas trabajen.

Habilidades básicas

Si va a enseñar a los estudiantes a pensar, aprender y trabajar, entonces ayúdelos a dominar cuatro habilidades básicas: leer, escribir, escuchar y hablar.

Las iglesias evangélicas de hoy necesitan con desesperación personas que lean. Quiero hacer una profecía: Dentro de pocos años, cada vez más iglesias se verán forzadas a enseñar a sus congregaciones ya sea a leer, o a hacerlo mejor.

Un día le dije a una de mis clases en el seminario: «El problema con la persona promedio que sale de la universidad es que no sabe leer, no puede escribir ni puede pensar. Y si usted no puede leer, escribir o pensar, ¿qué puede hacer?»

«Ver televisión», dijo alguien.

Exactamente. Y la televisión está usurpando la educación. Como educador cristiano, y en especial si usted es padre o madre, debe alarmarse ante la realidad de que nuestro pueblo se ha hecho adicto a una droga que se enchufa, y una de las mejores cosas que usted puede hacer es ayudarle a desconectarse. Este triste aparato puede diezmar la habilidad de leer y también las de pensar y crear —las habilidades más esenciales que usted como maestro quiere desarrollar en ellos.

Desde luego, hay mucho en la práctica educacional común que tampoco contribuye al desarrollo de estas habilidades. Mi hijo mayor, Bob, estaba muy ansioso por empezar su primer grado.

—Papá —dijo él—, ¡voy a aprender a leer!

El primer día volvió a la casa y dijo tristemente:

—Papá, no puedo leer.

—Hijo, eso te va a llevar un poco de tiempo— le aseguré—, sé paciente, hijito.

Pero me preocupé al ver que los meses seguían pasando y él seguía sin leer. Fui a hablar con la maestra, una joven adorable, recién graduada de una escuela de educación.

—Oh, Sr. Hendricks, usted no entiende —dijo ella—. Lo importante no es que él aprenda a leer, sino que esté feliz.

—*¡Ay, no!* —pensé—, *estamos frente a un culto a la felicidad.*

Soportamos esto hasta terminar el curso, cuando finalmente le pregunté a la maestra:

—Señorita, ¿alguna vez se le ocurrió pensar que él estaría más feliz si supiera leer? Tal parece que no.

Pagué seiscientos dólares por un curso correctivo de lectura para mi hijo —los mejores seiscientos que haya invertido porque en la actualidad lee más rápido que yo (lo cual es muy rápido). Y cuando estamos juntos tenemos conversaciones muy estimulantes acerca de lo que estamos leyendo.

De la habilidad de leer proviene la de escribir. Dé a los estudiantes oportunidades creativas de expresarse en papel. Se quedará fascinado con lo que algunos de ellos pueden producir.

De las otras dos habilidades —escuchar y hablar—, escuchar es la más difícil, el arte mayor y la habilidad más crucial. No obstante, pocas veces enseñamos a las personas cómo escuchar, y peor aún, tampoco les damos el ejemplo.

El ejecutivo promedio emplea setenta por ciento de su tiempo escuchando, para lo cual obtiene poca o ninguna preparación. Vaya a casi cualquier universidad, y no podrá graduarse sin aprobar una asignatura acerca de cómo preparar un discurso. Pero casi ninguna de ellas les requiere llevar una asignatura acerca de cómo escuchar.

Durante años he enseñado cómo hacer discursos, y le digo que es relativamente sencillo enseñar oratoria a una persona —¡pero trate de enseñarle a escuchar!

En el seminario enseñamos homilética —la ciencia de la preparación y predicación de sermones— y el resultado es la predicación. Ahora, la predicación, por supuesto, es un concepto completamente bíblico. No podemos dejar de hacerla. No es una opción. Pero, ¿de qué vale predicar si nadie escucha?

Además, un buen maestro es un buen oyente. No son muchos los que le dirán eso, así que sencillamente créalo.

Y en cuanto a dar un discurso, está es un área de entrenamiento en la cual idealmente los padres deberían comenzar a enseñar desde temprano en el hogar. Sugiero que empiecen por enseñar a sus hijos a ponerse de pie y hablar cuando solo tengan tres, cuatro o cinco años. Más adelante, llévelo a los hospitales o a la cárcel local o a otros lugares donde tengan la oportunidad de articular su fe. Uno aprende a hablar en público haciéndolo.

El fundamento llamado fracaso

El fracaso es una parte necesaria en el *proceso* del aprendizaje.

Tengo cuatro hijos. ¿Sabe cómo aprendieron a caminar? Un día, cuando todavía estaban en el corral, detrás de las barras, ellos observaron atentamente cómo alguien cruzaba la habitación. Se dijeron a sí mismos: «¡Oye, mira esa acción maravillosamente peripatética!» Así que cada uno se paró y dijo: «Ahora debo proceder a caminar». Y desde entonces lo han estado haciendo.

Por supuesto, usted no cree esto. Usted ha visto a un pequeñito ponerse de pie, soltar las manos, dar unos pocos pasos tambaleándose y entonces caerse. De nuevo se levanta y del otro lado de la habitación usted extiende sus brazos y le dice: «¡Ven, Guillermito!» Comienza a venir, pero pronto sus piernas van más rápido que el cuerpo, y se cae al piso.

¿Entonces acaso dice: «¡Qué pena! Yo creo que nunca fui llamado a caminar»? No. Se levanta y camina, y se cae y camina, y mientras más aprende a caminar, menos se cae —aunque nunca llegará el momento en el cual la posibilidad de caerse no este presente.

Imagine esta situación: Los discípulos han sido enviados de dos en dos y lo están pasando muy bien. Vuelven a donde está Jesús y le dicen:

—Señor, aun los demonios se nos sujetan.

Pero un día se enfrentan a un caso difícil. No les ha sido posible sacarle un demonio a un niño. El padre del niño, desesperado, va a Jesús y le dice:

—Fui a tus discípulos, pero no pudieron.

Así que Jesús saca el demonio.

De seguro, los discípulos llamaron a Jesús a un lado y le dijeron:

—Señor, ¿qué pasó?

—Les explicaré —les contesta—. Este tipo de demonio solo sale mediante oración y ayuno.

Como sucede tan a menudo, el fracaso le proporcionó a los discípulos una de sus mayores experiencias de aprendizaje.

Uno de los estudiantes más brillantes que he tenido es ahora profesor de una universidad prominente, y con rapidez se está convirtiendo en la principal autoridad en su campo a nivel mundial. Él tomó una asignatura conmigo en la cual fracasó por completo. Y hasta el día de hoy él dice que fue la mejor experiencia de aprendizaje de su vida.

Casos especiales

Enseñar es tanto una ciencia como un arte. Como una ciencia, incluye leyes básicas. Como un arte, incluye conocer las excepciones a las leyes.

Existen excepciones para el principio de nunca decirle a los estudiantes —o hacer por ellos— lo que pueden aprender o hacer por sí mismos. Si las conoce evitará algunas frustraciones.

Una excepción trata del asunto sencillo de ahorrar tiempo. No hay necesidad de desperdiciar horas para reinvertir la rueda. Y si el edificio en donde estamos se empieza a quemar, no es el momento oportuno para una sesión de intercambio de ideas sobre qué hacer. Es el momento para que alguien diga: «¡Aquí está la salida!» Esto mismo se aplica a la buena enseñanza.

Una segunda excepción se da cuando hay estudiantes con necesidades especiales de aliento y ayuda. Por varias razones, a medida que participan en el desafiante proceso del aprendizaje —que necesariamente incluye el fracaso— estos estudiantes son más propensos a darse por vencidos. En el proceso del fracaso es fácil que ellos digan: «Yo sé que no puedo hacerlo».

Una vez, en una entrevista por televisión, me preguntaron qué había aprendido en treinta y cinco años de enseñar en el seminario. Dije que había aprendido que mi tarea principal es decirle convincentemente a los estudiantes: «¡Creo en ti! ¡Lo vas a lograr!» Los estudiantes de seminario —hombres y mujeres que representan lo que se podría considerar la crema y nata de la comunidad evangélica— a menudo son hoy muy afectados con sentimientos de inferioridad.

Así que, al enseñar, sea sensible al hombre o mujer que diga: «No creo que Dios me pueda usar», o al niño que dice: «Me gustaría ser un abogado o un misionero, pero no creo tener lo que eso requiere». Es muy fácil destruir el espíritu de una persona como esa.

Una tercera excepción es cuando sus estudiantes están tan motivados que reciben todo lo que usted les da y todavía quieren más. Están tan entusiasmados, y su interés es tan intenso, que difícilmente se pueden contener.

Una vez le regalé un Nuevo Testamento a un exjugador profesional de fútbol que conoció a Cristo y cuya vida había cambiado radicalmente. Una semana después de habérselo dado, nos volvimos a encontrar y me dijo:

—Lo leí.

—Magnífico —le dije—, ahora querrás continuar hasta que lo hayas leído todo.

—No —me contestó—, ya lo leí por completo, hasta los Salmos que están atrás.

Agregó:

—Entiendo que hay otra mitad —Así que le di una Biblia completa, y cuatro semanas después se había leído todo el Antiguo Testamento. (¡Conozco ancianos de iglesias evangélicas que en toda su vida nunca leyeron la Biblia completa!)

Por lo tanto, cuando el estudiante esté tan hambriento, dígale todo lo que pueda.

Sin volver atrás

Por último, una palabra de advertencia: Aunque lleve tiempo, una vez que usted logre que las personas crucen la barrera y encuentren el verdadero gozo de descubrir y aprender, nunca más se conformarán con una educación que sea menos emocionante. Nunca quedarán satisfechos con algo menos que una profunda participación en el proceso del aprendizaje.

Para reflexionar

(Preguntas para su evaluación personal y para discusión con otros maestros).

1. ¿De que clase de maestros disfruta más al aprender y por qué?

2. Mentalmente seleccione tres estudiantes a quienes usted enseña, y analice sus diferencias individuales. ¿Que diferencias hay en la manera en que ellos piensan y aprenden? ¿Cómo difieren en su entendimiento de la Biblia y su nivel de experiencia como cristianos? ¿Cuáles son las diferencias principales de sus trasfondos de las que usted está consciente —familia, geografía, cultura, educación, nivel económico, etc? ¿Qué diferencias principales se manifiestan en su estilo de vida? (Estas son buenas preguntas para hacérselas de todos sus alumnos).

3. ¿Cuáles son sus metas más importantes como maestro?

4. ¿Cómo ha sido el fracaso parte de su crecimiento personal?

El conocimiento no se puede pasar de una mente a otra como si fuese una sustancia material, porque los pensamientos no son objetos que se sostienen en las manos y se palpan... Las ideas deben volverse a pensar, la experiencia debe volverse a experimentar.

—John Milton Gregory

CAPÍTULO 3

LA LEY DE LA ACTIVIDAD

Su tarea como comunicador no es impresionar a las personas, sino *impactarlas*; no solo convencerlas, sino *cambiarlas*. Hoy, la educación cristiana es demasiado pasiva. Y esto es incongruente porque el cristianismo es la fuerza más revolucionaria sobre el planeta. *Cambia* a las personas.

Sin embargo, con frecuencia hemos tomado esa fuerza que es la más revolucionaria sobre la tierra y la hemos revestido de concreto. La actitud del cristiano promedio está bien expresada cuando se canta: «Como era en el principio, es hoy y habrá de ser eternamente». Las iglesias y el cristianismo a menudo resisten los mismos cambios que ellos mismos esperan que se realicen.

Romanos 8 me deja saber que cada creyente está predestinado a ser conforme a la imagen de Jesucristo. Si esto es realmente cierto... ¿cuánto cambio deberíamos esperar legítimamente?

Máxima participación —Máximo aprendizaje

Si enseñar solo consistiera en decir algo, mis hijos serían increíblemente brillantes; pues ya les he dicho todo lo que necesitan saber. Probablemente sea así con la mayoría de los padres. Puedo oír a un padre gritar:

—Hijo, ¿cuántas veces te he dicho eso?

Y el adolescente contesta despreocupadamente:

—No sé, papá. La computadora se descompuso.

Pero el proceso de enseñanza-aprendizaje es algo más.

La ley de la actividad nos dice que el *Máximo aprendizaje es siempre el resultado de la máxima participación.* Esto es cierto, con una condición: La actividad en la cual el estudiante se involucra debe ser significativa.

Dicha condición infiere otra importante verdad de la enseñanza: La actividad en el aprendizaje nunca es un fin en sí, es siempre el medio para llegar al fin.

—¡Hemos logrado que los estudiantes estén ocupadísimos! dice la maestra con orgullo.

—¿Haciendo qué? —pregunta el observador.

—Nada, pero la están pasando muy bien.

Nunca olvide su *propósito*. Su objetivo determina el resultado. Uno logra lo que se propone.

Por algunos años fui miembro de la junta de una organización sin rumbo que había existido por un cuarto de siglo. Con el tiempo comencé a pensar: «¿Y cuál es el propósito de esta cosa?»

Por fin, en una reunión de la junta, dije:

—Señores, ¿cuál es el propósito de esta organización?

—Bueno, hermano Hendricks, esa es una buena pregunta. Hermano Brown, usted ha estado aquí durante mucho más tiempo que cualquiera de nosotros. ¿Cuál diría usted que es el propósito de esta organización?

Todos los que estaban alrededor de la mesa trataron de contestar la pregunta y ninguno pudo responder de manera clara y convincente. Así que yo dije:

—¿Puedo hacer una moción?

—Oh sí, siempre es propio hacer una moción.

—Propongo que enterremos esta cosa.

—¡Pero hermano Hendricks, hemos estado en funcionamiento por veinticinco años!

—Entonces esos son los veinticinco mejores motivos que se me ocurren para enterrarla.

Renuncié a la junta, pero ellos siguen adelante —con qué propósito, nunca lo sabré.

La actividad con propósito implica una actividad de calidad. Piense por un momento en estas tres declaraciones, y pregúntese cómo, si es posible, podría mejorar cada una:

1. *La práctica hace la perfección.*
2. *La experiencia es la mejor maestra.*
3. *Aprendemos haciendo.*

Con respecto a la primera afirmación: No, realmente la práctica no hace la perfección; lo que hace es la *permanencia*. Si usted juega tenis o golf, puede practicar por años y nunca mejorar su juego si está practicando de manera equivocada. Usted necesita un entrenador que le señale la mejor manera de colocar sus pies, o mover su muñeca, o sostener la raqueta. Entonces mejorará. Así que una afirmación más precisa podría ser: *La práctica bien guiada hace la perfección.*

Respecto a la segunda afirmación: Sin duda, la experiencia es una buena maestra. Pero usted no tiene que convertirse en un adicto a la cocaína para conocer su devastación. Incluso muchos que son adictos no comprenden el peligro. Así que una mejor forma de decirlo sería: *La experiencia correctamente evaluada es la mejor maestra.*

Hasta donde he podido investigar, Platón fue la primera persona en la historia en darnos la tercera afirmación. Es cierto que aprendemos haciendo, pero tal vez aprendemos las cosas incorrectas. Por lo tanto, una mejor afirmación es: *Aprendemos haciendo las cosas correctas*. Es cierto que a veces aprendemos haciendo las cosas incorrectas, pero ese aprendizaje fácilmente puede ser destructivo en lugar de constructivo.

Así que hay una correlación directa entre aprender y hacer. Mientras mayor sea la participación del estudiante, mayor será su potencial para aprender. Los mejores estudiantes son participantes; ellos no solo están mirando la acción desde afuera, están profundamente envueltos en ella, participando hasta lo máximo. Además, también disfrutan más que los alumnos que no se involucran.

Imagínese que yo le quiera enseñar más acerca de la Tierra Santa, y le doy a escoger entre tres métodos de enseñanza.

Primero, una conferencia acerca de la Tierra Santa. Espere, no rechace la opción de inmediato. Yo soy una autoridad en este tema y lo he estudiado por años. Tengo información histórica y arqueológica que pienso que lo impresionará.

La segunda opción es una presentación audiovisual: Tengo fotografías que son muy impresionantes acompañadas de buena música. Inclusive la presentación termina con una puesta de sol en el Mediterráneo.

La tercera opción es: Acompañarme en un viaje a la Tierra Santa y verla personalmente. Creo saber cuál usted escogería.

Yo hago —y yo cambio

Esta ley de la actividad se confirma tanto con una buena cantidad de investigaciones modernas en la psicología de la educación, como por un antiguo proverbio chino:

Oigo, *y olvido.*
Veo, *y recuerdo.*
Hago, *y entiendo.*

Yo le añadiré algo a este proverbio. A mi juicio, cuando usted *hace*, el resultado es más que entender, usted también *cambia.*

Los psicólogos nos dicen que tenemos el potencial de recordar hasta un diez por ciento de lo que oímos. Y que esto es *potencial*, no realidad. A propósito, si usted recuerda un diez por ciento de lo que oye, usted está en la categoría de genio.

Desafortunadamente, la mayor parte de la educación cristiana está orientada hacia el oír. Por eso a menudo es tan ineficiente.

Si al oír agregamos el ver, los psicólogos dicen que nuestro potencial para recordar aumenta hasta un cincuenta por ciento. Por eso las ayudas visuales son tan importantes. Vivimos en una sociedad orientada hacia lo visual. La persona promedio a la que enseño en el seminario ha pasado más tiempo viendo televisión que en las aulas desde el kindergarten hasta la universidad. Esto es una dosis masiva de TV —y puede ser letal por ser tan sutil, tan penetrante. Y debido a la verdadera eficacia de combinarse el ver con el oír, los que ven la televisión poco a poco se lavan el cerebro con lo que ven.

¿Qué si agregamos el *hacer* al ver y al oír? Los psicólogos dicen que esta combinación aumenta la memoria hasta un 90% —y el hecho de haber estado enseñando por décadas en una institución especializada me ha proporcionado toda la evidencia que necesito para convencerme que eso es cierto.

Nunca, durante más de treinta años, he dado un examen en un curso del seminario sobre «Cómo estudiar la Biblia por sí mismo». En treinta y cinco años de enseñar, a nivel de seminario, la asignatura «Cómo estudiar la Biblia por sí mismo» nunca he requerido un examen. Eso deja perplejos a los demás profesores. ¿Cómo es posible enseñar sin dar un examen? Muy sencillo: Procure que los estudiantes participen activamente en el proceso del aprendizaje.

Desde temprano aprendí que los estudiantes pueden memorizar información de cualquier manera que uno les pida que lo hagan, y que en un examen ellos se la pueden decir toda. Por hacer eso les puede otorgar un gran «Sobresaliente» como nota. Qué brillantes. Sin embargo, repita el mismo examen tres días después y no lo aprobarían aunque sus vidas dependieran de este.

Pero habiendo hecho participar a los estudiantes en el proceso, al examinarlos veinticinco años más tarde todavía saben y están usando los mismos principios para estudiar la Biblia que aprendieron en mi clase —y que nunca memorizaron. Aprendieron al hacer. Aprendieron en el proceso de la actividad.

Esto también es cierto en otros aspectos de la vida cristiana. La mejor manera de aprender a testificar, por ejemplo, es testificando, no leyendo libros acerca de cómo testificar.

¿Alguna vez ha leído uno de esos libros acerca de cómo evangelizar? Siempre están llenos de ilustraciones. Un hombre sube a un avión, se sienta y quince minutos más tarde el que está a su lado conoce a Cristo. Media hora después ya toda la fila nació de nuevo. Pasa una hora y todas las aeromozas recibieron a Cristo. Al aterrizar, todos los que iban en el avión ya son salvos.

La persona promedio lee esto y piensa: *«Sabes, yo debería probar esto».* Así que lo hace, trata de seguir las instrucciones exactamente y no tiene aceptación ninguna. Se arrastra hasta su vieja guarida diciendo: *«Parece que no tengo el don de evangelismo».*

No, para aprender a testificar sencillamente testifique. Participe en el proceso. Esa es la mejor manera de aprender cualquier cosa.

En las Escrituras la verdad y la vida siempre están relacionadas. Me encanta como Pablo lo expresa en Tito 1.1: «... la verdad que es según la piedad».

Jesús dijo: «El que tiene oídos para oír, oiga». La primera vez que yo leí eso, pensé: *«Señor, tienes que estar bromeando. ¿Qué más vas a hacer con los oídos? ¿Coleccionar cerilla? ¿Colgar aretes?»* Pero Jesús pensó en algo más.

Cuando usted lee la palabra *oír* en el Nuevo Testamento, también lee *hacer*. Porque el Señor Jesús soldó estas palabras cuando dijo: «El que tiene mis mandamientos y los guarda, ése es el que me ama ... ¿Por qué me llamáis, Señor, Señor, y no hacéis lo que yo digo?» ¿Su implicación? «O dejas de llamarme «Señor», o empiezas a hacer lo que te pido».

La esencia de la educación cristiana no es conocimiento, es la obediencia activa. Yo tengo un debate constante con el Señor. Fíjese, siempre estoy tratando de impresionarlo con lo mucho que sé de Su palabra, sin embargo, por alguna extraña razón Él nunca se impresiona.

¿Por qué tendría que impresionarse? Todo lo que yo sé es el producto de lo que me ha revelado. Y siempre me está recordando lo poco que me asemejo a Jesucristo.

En la esfera espiritual, lo opuesto a ignorancia no es conocimiento, es obediencia. En la comprensión del Nuevo Testamento, saber y no hacer es en sí no saber.

Así que el Señor dice:

—Hendricks, ¿entiendes esto?

—Sí, Señor, lo entiendo.

—Bien —me dice—. El próximo paso es tuyo.

Actividad significativa

Veamos de nuevo la Ley de la actividad: *El máximo aprendizaje es siempre el resultado de la máxima participación.* Dijimos que esta ley es cierta con una condición: La actividad debe ser significativa. ¿Qué clase de actividades son significativas?

Quiero darle cinco respuestas a esa pregunta —cinco formas de actividad significativa. Cada una de ellas está a su disposición, no importa qué clase de grupo esté enseñando, ni qué tema.

1. *Actividad que provee dirección sin ser dictatorial.*
   Cuando usted asigna tareas —y debe hacerlo— para que los estudiantes participen más en el proceso de aprendizaje, recuerde ofrecer siempre una esfera de libertad. Usted quiere estructura —no una camisa de fuerza.
   A menudo le pido a un alumno que estudie un pasaje específico de las Escrituras y que busque y enumere los principios del mismo. Entonces viene la reacción:

—Dr. Hendricks, ¿cuántos quiere usted ?

—No sé —le digo—, ¿cuántos quieres tú?

—Ehhh —gaguea él—, pero... usted es el profesor.

—Y *tú* eres el estudiante. Tú estás pagando por esta educación, no yo. Con esto le quemo todos sus fusibles.

Por lo general me lleva dos ó tres años encaminar a un estudiante como este porque proviene de un sistema educativo donde lo que cuenta es adivinar lo que el maestro quiere. Nunca se le ocurre pensar que se está traicionando a sí mismo educacionalmente. Nuestros estudiantes están trabajando para las personas equivocadas —para los maestros en lugar de para ellos mismos. Así que la pregunta más importante para el estudiante es: «¿Qué quieres *tú*?», y no «¿Qué quiere el maestro?» La educación debe venir del individuo que está aprendiendo. Usted como maestro no se la puede introducir —tiene que *extraérsela*. Y a propósito, «extraer» es el significado de la raíz de la palabra educación.

Enseñé una asignatura sobre acampar para estudiantes de seminario, una materia divertida que ofrece algunas experiencias emocionantes. Comenzamos con un repaso de la teoría sobre acampar en el aula, y después salimos en un viaje en canoa por el río Brazos.

—Ahora, recuerden hombres —les dije en la clase—, un principio básico de viajar en canoa es amarrar todas las cosas; asegurar todo en la canoa de manera que si se vuelca su equipaje no se salga. ¿Entendieron?

—Correcto, Profe. Aquí está, aquí mismo en las notas.

—Me alegro que lo tengan en las notas. Magnífico. Pero lo que quiero saber es si van a amarrar las cosas. ¿Saben lo que es dormir en una cama mojada?

—Bien, Profe, entendemos.

Así que fuimos al río Brazos y lanzamos diez canoas. Y aunque no lo crea, no habían pasado ni tres minutos después de estar en el río cuando cuatro canoas se nos volcaron y tres de ellas no tenían las cosas amarradas.

Después de una noche no muy buena de descanso para aquellos con las camas mojadas, nos levantamos todos a la mañana siguiente para desayunar. Ahora bien, en el aula nos habíamos dividido en grupos, y le pedí a cada grupo que planeara su propio menú para el viaje, «lo que más crean conveniente. Realmente no hará mucha diferencia, ya que de todas formas casi todo lo que cocinen se quemará. Pero sea lo que sea que decidan cocinar, asegúrense de pensar detalladamente en todo lo que necesitarán».

Así que los que no durmieron durante toda la noche, ahora están listos para preparar su muy planeado desayuno de panqueques. Pero se les olvidó traer la espátula para voltearlos. Además, el fuego no estaba lo suficientemente caliente, por lo que los resultados fueron panqueques pegajosos.

¿Alguna vez ha visto a alguien usar ramitas para voltear panqueques pegajosos? La mayoría cae al fuego. Tarde o temprano el resto también termina allí.

Le aseguro que ninguno de estos muchachos volverá a acampar sin traer una espátula para voltear los panqueques. Así que provea dirección, no dictadura. Deje que ellos mismos se cuelguen, si así fuera el caso. De esa manera aprenderán mucho.

2. *La actividad que pone énfasis en la función y la aplicación* — es decir, la actividad que inmediatamente permite que los estudiantes pongan en uso todo lo que acaban de aprender. Esto implica que es mejor no enseñar de una vez más de lo que se puede absorber y usar. Siempre usamos lo que yo llamo educación al estilo almacén. Pensamos: *Ellos tienen que recibir toda esta información de MÍ y la deben obtener toda AHORA.* Así que se la echamos encima. También se llama el método de la hamburguesa y el ventilador. Toda la carne molida va a las aspas del ventilador, usted lo enciende... y el grupo queda todo rociado.

Exactamente lo que hizo Jesús, ¿verdad? ¿Recuerda aquella ocasión cuando le dijo a sus discípulos: «Miren, yo solo estaré con ustedes tres años. Así que aprendan estas cosas ahora mismo». No, por supuesto que usted no recuerda esto porque Jesús, la Personificación de la verdad, nunca lo hizo así. Por el contrario, Él les dijo: «Aún tengo muchas cosas que deciros, pero ahora no las podéis sobrellevar. Pero cuando venga el Espíritu de verdad, él os guiará a toda la verdad».

3. *La actividad con un propósito planeado.*
Como dijimos antes, los objetivos determinan los resultados. Usted logra lo que se propone.
Por favor anote esto: Olvídese del «trabajo inútil». No involucre a los estudiantes en actividades que no tengan un objetivo significativo. No hay nada que los seres humanos resientan más que el trabajo inútil. Y es por eso que, francamente, la mayoría de las revistas trimestrales para las escuelas dominicales se usarían mejor como leña en la chimenea.
Si usted está enseñando una lección que contiene «requisitos» pregúntese: *¿Cuál es mi objetivo?* ¿Qué se debe lograr al leer esos libros o al realizar esa investigación o al escribir esos reportes? ¿Escribir más palabras y leer más libros hacen que la educación sea mejor? ¿O ponemos requisitos sencillamente porque siempre los hemos tenido? Muchas cosas que se hacen en el nombre de la *erudición* no tienen sentido. El mero entretenimiento pertenece a la misma liga que los trabajos inútiles. Como escribió un alumno en un ensayo de investigación: «¿Cuándo dejará la iglesia de ser un centro de entretenimiento? No voy a la iglesia para entretenerme. Si eso es lo que quiero, puedo ir a un buen espectáculo en el centro de Dallas».
Me quedé profundamente impresionado con el programa para estudiantes de secundaria que ofrece una iglesia cercana. Es una de las pocas que he visto que constantemente desafía a los

jóvenes. Nunca los entretiene solamente. Nunca los mima. Todos los años el grupo hace un difícil viaje de entrenamiento a México. Todos los que van tienen que aprender español, y además exigen muchos otros requisitos que llevan a los jóvenes hasta el punto extremo de tensión. Pero a los jóvenes les encanta. Van en un ómnibus con espacio para solo veinticinco jóvenes, sin embargo, el año pasado ochenta y siete jóvenes se inscribieron para ir.

4. *La actividad que se preocupa tanto del proceso como del resultado* —de manera que los estudiantes no solo saben QUÉ creen, sino POR QUÉ lo creen.
   Si usted solo les da a sus estudiantes el resultado —en lo cual tendemos a especializarnos— los limitará con sus propias limitaciones. Pero si les da el proceso, los lanzará por un camino que no tiene límites. Por cierto, ellos pueden ir más allá y llegar a ser más eficaces que usted.
   Una razón por la cual he permanecido tanto tiempo en el seminario enseñando es la satisfacción de ver a tantos de mis estudiantes graduarse y hacer mucho más de lo que yo jamás podré lograr. La verdadera satisfacción es contribuir a sus vidas y luego ver como ellos toman esto y lo llevan mucho más lejos de lo que yo jamás podría.
   Varias organizaciones cristianas que trabajan con jóvenes han patrocinado investigaciones cuyos resultados en las áreas de valores, moral y conducta indican una similitud sorprendente entre muchachos cristianos y no cristianos. La única gran diferencia es la verbal. Los cristianos responden «no» cuando les preguntan si mentirían o harían trampas o robarían o se acostarían con alguien, mientras que los muchachos no cristianos dicen: «Claro que sí, si es para mi beneficio». Pero al nivel actual de conducta, en esencia no hay diferencia.
   Esto señala un fracaso que no podemos negar, por no decir más. Piense en las implicaciones. Nos estamos conformando con las

cosas erróneas. Nos conformamos con palabras. Los jóvenes cristianos conocen la fraseología de la vida cristiana pero no la están experimentando.

5. *La actividad realista que incluya situaciones que requieran la resolución de problemas.*

   ¿Un estudiante busca respuestas a las preguntas de quién? ¿A las que usted tiene? No, a las que él tiene. Si traemos nuestros propios problemas a la clase para que el estudiante los resuelva, ellos no se identificarán con las soluciones, y estamos en peligro de producir un cristianismo débil.

   A menudo fracasamos en tratar los problemas reales que las personas tienen. Así que averigüe: *¿En qué situación se encuentran? ¿Con qué están luchando? ¿Qué tentaciones enfrentan?*

   En este momento hay un creciente número de personas en nuestras iglesias cuya moralidad se está deteriorando rápidamente. ¿Pero cuánto tiempo le dedicamos a hablar del tema —y enseñar al respecto?

   ¿Cuántas veces enseñamos acerca de los personajes de la Biblia como si fueran fugitivos de un museo de cera? Como si fueran una colección de cristianos de cartón que realmente no tienen los problemas y sentimientos que nosotros tenemos.

   Así que haga que las actividades reflejen la vida real, y descubra el *¡abréte sésamo!* que dé acceso a los corazones de las personas. Pero no predisponga la situación. Muchas veces he oído a un maestro decir: «Ahora niños y niñas, ¿qué quieren ustedes? ¿Quieren la voluntad de Dios para su vida, con paz y satisfacción y plenitud y éxito? ¿O preferirían su propia voluntad con miseria y pobreza y vacío?» Interacciones como esta señala lo ingenuos que somos muchos de nosotros frente a lo divertido que el pecado puede ser.

Prosigamos

Usted recordará que dijimos que el aprendizaje es un *proceso*. No presente a las personas una sola experiencia para luego decirles: «Bueno, lo captaron. Ya lo saben. Ahora, ¿qué más les puedo enseñar?»

Los evangelios nos cuentan de aquella vez en que Jesús y los discípulos alimentaron a cinco mil. Usted conoce el relato: Comenzaron con cinco panes y dos peces, y con esto Jesús satisfizo a cinco mil hombres hambrientos, sin contar a las mujeres y los niños. Después que todos quedaron completamente satisfechos, recogieron doce cestas de lo que sobró —así hubo más comida al final que al principio. Un milagro asombroso.

Pero un poco más adelante leemos acerca de los discípulos: «Porque aún no habían entendido lo de los panes»

Entonces viene la alimentación de los cuatro mil. La misma cosa, pero esta vez comienzan con solo siete panes y unos pocos peces pequeños. No obstante, todos quedan satisfechos, y quedan siete cestas con sobras.

Un poco después fue obvio que los doce todavía no habían aprendido lo que Jesús quería que ellos aprendieran de estos milagros. Jesús dijo:

—¿Y no recordáis? Cuando partí los cinco panes entre cinco mil, ¿cuántas cestas llenas de los pedazos recogisteis?

Y ellos dijeron:

—Doce.

—¿Y cuando los siete panes entre cuatro mil, cuántas canastas llenas de los pedazos recogisteis?

—Siete —contestaron.

Y entonces Jesús les dice:

—*¿Cómo aún no entendéis?*

Recuerde también el incidente cuando Jesús caminó sobre las aguas. Aquí están unos pescadores profesionales en medio del mar.

Miran a lo lejos y ven lo que parece ser un fantasma. Se están muriendo de miedo.

Pero Jesús les dice:

—Yo soy.

Pedro, de modo típico, dice:

—Señor, si eres tú, manda que yo vaya a ti sobre las aguas.

Jesús dice:

—Ven.

Salir de la borda del bote probablemente fue una de las cosas más difíciles que hizo Pedro. Pero lo hizo, y es posible que Felipe y Andrés se quedaran en el bote diciendo:

—¡Mira como Pedro camina!

Pero entonces Felipe grita:

—¡Pedro, cuidado con esa ola!

Pedro la ve, se pasma y se cae por el hueco de la alcantarilla. Entonces pronuncia la oración más hermosamente concisa de la Biblia: «¡Señor, sálvame!» No se puede eliminar ni una sola palabra sin cambiarle el sentido. ¿Se imagina qué hubiera ocurrido si él hubiera hecho una de esas oraciones que a menudo oímos en las reuniones de oración; aquella en la que alguien se está poniendo al día con su vida de oración, y se eleva hasta la Vía Láctea y hace un viaje por los campos misioneros y además hasta repasa su teología? Al final de la oración ya Pedro estaría hundido seis metros debajo del mar.

Ahora permítame preguntarle: ¿Cómo cree que Pedro regresó al bote? ¿Cree usted que Jesús lo cargó? No, volvió caminando, pero le garantizo que nunca apartó los ojos del Salvador.

Esto es aprender.

A menudo he visto a alguien caerse en algo parecido a ese hueco en el agua, y luego he visto a esa persona emerger y convertirse en un hombre o mujer que *cree* a Dios. Se dieron cuenta de que no pueden hacerlo solos. El Señor se los demostró por aquel fracaso en la mismísima área de su fortaleza.

Un estudio de la vida del Salvador deja claro que el gran Maestro no llenó un montón de cabezas hasta el tope con una colección de datos teológicos. No, Él hizo que sus discípulos participaran en el proceso para que luego el mundo pagano se viera obligado a testificar: «Estos son los que han vuelto el mundo al revés». Este es el desafío para la educación cristiana de nuestros tiempos.

Para reflexionar

(Preguntas para su evaluación personal y para discusión con otros maestros).

1. ¿Cuán involucrados —realmente *involucrados*— están sus alumnos en el proceso del aprendizaje? ¿Quiénes parecen estar más involucrados —y por qué piensa usted que lo están? ¿Quiénes parecen estar menos involucrados —y por qué piensa usted que no lo están?

2. Mentalmente seleccione tres alumnos que representen su clase y haga una lista del tipo de actividades—dentro, fuera, en cualquier lugar— que usted piensa que probablemente ellos disfrutan más. ¿Qué claves dan estas listas que puedan hacer el proceso de aprendizaje más efectivo y más agradable a los estudiantes?

3. ¿Puede usted pensar en algunos ejemplos de actividades que pueden *obstaculizar* al aprendizaje efectivo?

Es la misión del maestro... por simpatía, por ejemplo, y por cada medio de influencia —objetos para los sentidos, datos para el intelecto— estimular la mente de los alumnos, incitar sus pensamientos... El mejor de los maestros dijo: «La semilla es la palabra». El verdadero maestro remueve la tierra y siembra la semilla.

—John Milton Gregory

CAPÍTULO 4

LA LEY DE LA COMUNICACIÓN

Malcolm Muggeridge notó una sorprendente característica que tienen en común casi todos los libros sobre la comunicación: «Una incapacidad singular para comunicar».

No hace mucho leí un tomo de 850 páginas sobre el proceso de la comunicación, el cual le recomiendo si tiene problemas de insomnio. Es absolutamente paralizante.

Pero, la comunicación no es nada fácil. Y si tiene un respeto saludable por la dificultad de este proceso, entonces va a orar más inteligentemente, estudiará y trabajará con más esfuerzo y aprenderá a confiar en Dios en un nivel mucho más profundo.

Una compañía en Chicago se fue a la bancarrota solo un año después de ganar dos millones de dólares. La razón: No comprendieron el negocio en que estaban. Pensaban que su negocio era hacer presillas para el pelo en lugar de productos para el cuidado del cabello. Las mujeres dejaron de usar presillas... y se acabó la compañía.

Así que no olvide en qué negocio estamos —el de la comunicación. La comunicación es la razón de nuestra existencia como maestros.

También es el problema número uno en la enseñanza.

Construyamos puentes

La palabra *comunicación* viene del latín *communis*, que significa «común». Para comunicar, debemos primero establecer lo que se tiene en común, lo que se comparte. Y mientras mayor sea lo que hay en común, mayor será el potencial para la comunicación.

Veamos el caso de Mike: Mike y su esposa Beth están felizmente casados y tienen cuatro hijos, dos niños y dos niñas. Mike también enseña una clase para adultos en la escuela dominical.

En esa clase hay muchas personas como Mary. Ella es divorciada y madre de dos hijos. La tarea principal de Mike como maestro, es llegar a formar parte de la vida de Mary y los que son como ella. Pero él no puede dar por sentado que Mary ha vivido las mismas experiencias que él y Beth.

Así que Mike y Beth tienen que pasar tiempo con Mary para desarrollar cosas en común, para saber con qué está luchando ella. Un día invitan a Mary y a sus dos hijos a compartir un asado en el patio de su casa, y conversan. Luego invitan a Mary para acompañarlos a un concierto sinfónico. En otra ocasión los dos hijos de Mary salen de pesca con Mike y sus hijos.

En el proceso, Mike y Beth desarrollan una base de cosas en común con Mary. Es por eso que Mike gana el derecho de comunicarse con Mary los domingos por la mañana. Él gana una audiencia.

La clásica ilustración bíblica se halla en Juan 4 —Jesús y la mujer samaritana. Nótese lo que ellos tienen en común: Ambos están sedientos.

—Dame de beber —pide él.

Ella se eriza.

—¿Cómo tú siendo judío, me pides a mí de beber, que soy mujer samaritana?

Jesús toma toda la iniciativa y no da por sentado que no existan barreras para la comunicación. Él procede a romperlas todas —raciales, religiosas, sexuales, sociales y morales— a fin de establecer una base para la comunicación.

Y esa también es su tarea —la esencia mismísima de nuestra labor como maestros.

Es el proceso de construir puentes.

La ley de la comunicación exige ese mismo proceso: *La comunicación eficaz requiere la construcción de puentes.*

Años atrás llevé a mi tía a una reunión evangelística —la primera vez que logré llevarla a oír la predicación del evangelio. Al final del mensaje, el evangelista dijo: «Quiero que todos se pongan de pie», y todos nos pusimos de pie. Entonces dijo: «Ahora quiero que todos los cristianos se sienten».

Observé la cara de mi tía —vi como de inmediato sus ojos se enfriaron como el acero y su quijada se endureció por el enojo y la vergüenza.

Me llevó tres años lograr que ella volviera a oír la predicación del evangelio, y esta vez vino solo porque yo era quien iba a predicar, «Sé que nunca me jugarás una mala pasada como aquella», me dijo.

Amigo mío, tenemos que saber cómo se sienten las personas. Se mueren de miedo ante la idea de venir a nuestras iglesias, y les doy toda la razón.

Conocimiento — Sentimientos — Acción

Me gustaría tomar este complicado proceso de la comunicación y ponerlo en una forma más comprensible. Pero, por favor, entienda que usted tendrá que estudiarlo para dominarlo, para hacerlo suyo. Leerlo una sola vez no es suficiente.

Toda comunicación tiene tres componentes esenciales: Intelecto, emoción y volición —en otras palabras: conocimiento, sentimientos y acción. Así que cualquier cosa que quiera comunicar a otro individuo, incluye:

...algo que conozco,

...algo que siento,

...y algo que estoy haciendo.

Si conozco bien algo, lo siento profundamente, y lo hago consistentemente, entonces tengo un gran potencial para ser un excelente comunicador. De hecho, mientras mejor conozca el concepto... más profundamente lo sentiré... y mientras más consistentemente lo practique... mejor será mi potencial como comunicador.

Pero deben estar presentes los *tres* componentes.

Es como si yo fuera un vendedor —excepto que estoy vendiendo conocimiento, no bienes; ideas, no artículos. Y para poderlos vender, necesito conocerlos bien, debo estar profundamente convencido de que realmente tienen valor, y deben ser de mi uso personal —tienen que ser de beneficio para *mí*.

Este es el punto de partida de la comunicación.

Como cristianos que creemos en la autoridad e inspiración de las Escrituras, tenemos un cuerpo de verdad dado por revelación, verdad que debe comunicarse al mundo. Por lo tanto no tenemos que crear el mensaje. Solo tenemos que declararlo. Esta es nuestra gran ventaja, y sin embargo, también tiende a ser un problema especial de comunicación en la comunidad cristiana.

¿Por qué? Porque la mayoría de nosotros optamos por comunicar el mensaje con el componente intelectual solamente. Dependemos demasiado en las palabras. Estamos convencidos de que si les decimos a las personas las cosas correctas, estas automáticamente resolverán sus problemas. Somos demasiados débiles en la comunicación por medios emocionales y volicionales —los componentes del *sentimiento* y la *acción*— porque nos amenazan sobremanera.

Desde el momento en que yo menciono las emociones, por ejemplo, tal vez usted se sienta un poco tenso. Piensa que estoy hablando de *emocionalismo* —pero eso trata de emociones fuera de control, y a eso sí se le debe temer. Cualquier cosa fuera de control, es peligrosa. Pero lo que buscamos es la emoción bajo control: «Porque de tal manera *amó* Dios al mundo que ha dado...»

La comunicación más eficaz siempre incluye un ingrediente *emocional,* el factor del *sentimiento*, el elemento *emocionante.* Si yo digo estar comprometido con la eterna verdad de la Palabra de Dios, entonces esto debe reflejarse en mis valores, en lo que yo estimo, en lo que dedico mi tiempo y dinero, en lo que me hace sentir entusiasmado.

Entonces, ¿qué lo entusiasma a *usted*?

Tuve un vecino que pasaba todo su tiempo libre puliendo su bote. Cada vez que yo pasaba por su casa me decía: «Oye, Howie, ¡ven a ver mi bote!» Una vez me dijo que esa cosa tenía treinta y ocho capas de cera. Allí era donde estaba su corazón. Quítele ese juguete y le quitará la anestesia que adormece el dolor de una vida vacía.

¿Qué de usted? ¿Qué es lo que hace arrancar sus motores? ¿Se manifiesta en su enseñanza?

No quiero ser cruel, pero me siento obligado a ser honesto: Si todos los que están involucrados en la enseñanza cristiana tuvieran que convertirse en vendedores y vendedoras para ganarse la vida, la mayoría de ellos se morirían de hambre. Estamos enseñando la verdad más emocionante del mundo —la verdad eterna— y lo hacemos como si se tratara de un frío puré de papas.

Escuchamos a cualquier persona hablar de lo que se supone es la cosa más importante en el mundo, y suena como si se tratara de la prioridad veintiuno en una lista de solo veinte. Usted está plenamente convencido que lo que él dice no lo siente en su corazón. Y usted piensa: *«Si esto es emocionante para él, no quisiera verlo cuando esté aburrido»*.

Pero si usted realmente cree y siente su mensaje, se reflejará. Por ejemplo, usará gestos adecuados. Toda clase de libros sobre cómo hablar en público le proveerán material acerca de cómo hacer gestos significativos, pero nadie en el mundo, ni siquiera la mayor autoridad, le podrá enseñar algo mejor que los gestos que usted use natural y cómodamente cuando *usted realmente siente lo que está diciendo*. Y si no lo siente, agregar gestos solo convertirá el mensaje en una presentación ficticia. Todo lo que hará será una actuación, y las personas se darán cuenta enseguida.

Usted también sonreirá de vez en cuando si realmente siente su mensaje. Sabrá que la vida es muy corta para no disfrutarla. Desafortunadamente, cuando algunos de nosotros lleguemos al cielo, Dios nos va a decir: «Siento que no la hayas disfrutado más. En realidad no fue mi deseo que tu vida fuera tan sombría».

Adondequiera que voy puedo esperar encontrarme con un cristiano que padece de un caso severo de desgano. Su rostro parece la portada del libro de Lamentaciones. Yo le digo:

—¿Cómo estás, hombre?

—Bastante bien —responde—, bajo las circunstancias.

— ¿Y qué haces allí debajo?

La verdad no nos ha emocionado, y muy a menudo tampoco ha cambiado nuestro comportamiento. En 2 Corintios 5.17 leemos que cualquiera que está en Cristo es una *nueva criatura*, y entendemos que esta realidad da inicio a un proceso de crecimiento. Entonces, ¿qué diferencia hace Jesucristo en mi hogar, por ejemplo? Soy un mejor padre y un mejor esposo, ¿o sigo siendo tan desagradable como era antes? Si el cristianismo no funciona en mi hogar, entonces es algo que no funciona y punto.

¿Y qué de los negocios? Un hombre me dice que es un hombre de negocios cristiano, y hace trampas. Le pregunto cómo él justifica esto en términos de los principios cristianos.

—Hendricks —me dice—, usted no entiende. ¡Estamos en *Roma!* Y el versículo dice «cuando estés en Roma, haz como los romanos».

—Oye, tengo otro versículo para ti —le digo—. Cuando estés en Roma como cristiano, *no* hagas como los romanos.

—¿De dónde sacó ese? —me pregunta, y aún lo sigue buscando.

El dicho merece repetirse: Lo que usted *es,* es mucho más importante que lo que dice o hace. Dios siempre usa la encarnación como método. A Él le place tomar Su verdad y envolverla en una persona. Él toma a una persona pura y la deja caer en medio de una sociedad corrupta. Y esa persona —por lo que sabe, siente y hace— demuestra convincentemente el poder de la gracia de Dios.

Al principio de mudarme a Texas, hace muchos años, una vez cité el dicho: «Uno puede llevar un caballo al agua, pero no puede hacerlo beber». Un hombre alto del oeste de Texas respondió: «Estás equivocado, hijo. Dale de comer sal y verás».

Permítame preguntarle: ¿Alguna vez las personas han quedado tan sedientas después de su enseñanza que casi no pueden esperar para beber por sí solas de la Palabra de Dios?

Así que cada vez que enseñe, pregúntese: *«¿Qué es lo que sé? —y qué quiero que estos alumnos sepan? ¿Qué siento —y qué quiero qué ellos sientan? ¿Qué hago? —y qué quiero que ellos hagan?»*

Demostrémoslo con el siguiente caso: Enseñar la Regla de Oro. No es cuestión de hacer que los estudiantes decidan mentalmente: «Ahora procederé a practicar la Regla de Oro. Ahora que la sé, puedo vivirla automáticamente».

¿Pero qué significa la Regla de Oro? ¿Qué es lo que realmente implica «hacerle a otros lo que quieres que te hagan a ti»? Ayude a sus estudiantes a que juntos reflexionen sobre lo que implica esta regla:

- ¿Cómo se percibe esta regla en la mentalidad de personas de nuestra misma edad, en nuestra propia experiencia, en nuestra cultura?
- ¿Cómo nos *sentimos* al respecto? ¿Nos sentimos cómodos con ella? ¿Es radical?
- ¿Cómo reaccionamos ante una situación típica que nos llama a aplicar la Regla de Oro? ¿Cuál suele ser nuestra reacción?

Explorémosla en el nivel sentimental a fin de entender por qué vivimos como vivimos, y conocer cuáles son las alternativas.

- Y finalmente, hagamos el fascinante esfuerzo de encontrar maneras específicas de aplicarla. Fijémonos una meta para llevar esto a la práctica durante la semana que viene. Y cuando volvamos a reunirnos compartiremos los unos con los otros lo que ocurrió —los éxitos y los fracasos, cómo nos salió mal y por qué, y el hecho de que no es fácil, pero que sí vale la pena.

Palabras que comunican

Tengo algo en mi mente, lo siento profundamente, y controla totalmente mis acciones, y lo quiero compartir con usted.

El siguiente paso: Tomo ese conocimiento-sentimiento-acción y lo traduzco en *palabras*.

Las palabras son símbolos; tomamos esos símbolos y los arreglamos sistemáticamente en un orden particular —una sintaxis, una gramática — y así tenemos el lenguaje como herramienta de comunicación. Pero no podemos quedarnos ahí. Los símbolos —las palabras— no es lo que estamos tratando de comunicar. No es un mensaje de *palabras* lo que comunicamos... sino un mensaje de *vida*. Estamos en el negocio de vida, no en el negocio de palabras. El mundo pagano está cansado de nuestras palabras, pero desesperadamente hambriento de realidad, y hará una fila en nuestra puerta si percibe que la tenemos. Sin embargo, las palabras tienen su lugar. A menudo me preguntan si es más importante testificar con los labios o con la vida.

—Permítame hacerle una pregunta —le digo—, ¿usted viaja en avión?

—Sí.

—Bueno, ¿cuál es más importante para usted?: ¿El ala derecha o izquierda?

Si testificar solo con nuestras vidas fuera suficiente, entonces todos los que tuvieron contacto con Jesucristo durante el tiempo que Él estuvo en la tierra deberían haberse convertido. Él fue la única persona que vivió una vida perfecta —y aun Él también compartió su mensaje verbalmente.

Por lo tanto, la comunicación es tanto verbal (principalmente hablada y escrita) como no verbal (acciones y «lenguaje corporal»), y ambas formas deben ser congruentes: Lo que usted diga debe corresponder con lo que ellos vean.

Jesucristo nunca hizo algo que contradijera lo que dijo. Sus acciones y sus palabras siempre estuvieron en perfecta armonía.

Como su maestro tal vez le diga: «Sabe, estoy realmente interesado en usted, de hecho, lo amo». Pero si nunca me preparo adecuadamente para enseñar su clase y nunca estoy disponible para hablar con usted fuera de clase, mi mensaje verbal que sonó tan bien queda aniquilado por mi mensaje no verbal.

A propósito, las investigaciones han demostrado que nuestras palabras representan para otros solo un 7% de todo lo que les comunicamos. Tal vez esto sea difícil de aceptar si usted es como la esposa del viejo MacDonald: «Por aquí bla-bla, por allí bla-bla, donde quiera bla-bla-bla». (Una advertencia para muchos laicos y laicas: Es posible que sean culpables de predicar sin licencia. Cuídense, o corren peligro de que la asociación de predicadores les persigan.)

Enseñar, por lo tanto, trata de un balance y una relación delicada entre el contenido y la comunicación, entre los hechos y la forma, entre lo que usted enseña y cómo lo enseña.

¿Está su método en armonía con la naturaleza de su mensaje? Por cierto, usted no querrá hablar de una manera hermosa y no tener nada que decir. Por otra parte, qué trágico es vestir con trapos las riquezas inescudriñables de Jesucristo.

Perfeccione su comunicación

Hagamos un repaso del proceso: Tomamos conocimiento y sentimientos y acciones, los traducimos en palabras y entonces las comunicamos por medio del discurso —lo cual requiere dos cosas: *preparación* y *presentación.*

1. La *preparación* es la mejor póliza de seguro que usted puede tener para su comunicación. En la preparación se le da forma y distintivos al mensaje. Su mensaje necesita estructura; necesita ser empaquetado —y la habilidad de empaquetar su contenido es lo que separa a los hombres de los niños y a las mujeres de las niñas en la comunicación.

   Necesita una introducción —algo que capte la atención— ¡bum! Puede ser una pregunta, una cita, un problema, algo de relevancia para sus vidas que los cautive. No dé por sentado que la audiencia, de por sí, esté dispuesta a poner atención a su discurso. Si yo comienzo así: «Para comenzar, quisiera compartir con ustedes una ilustración. Es una ilustración muy importante. De hecho, fue de gran importancia para mí. El otro día estaba leyendo el Antiguo Testamento, y de repente algo pareció haber saltado de la página y me impresionó, y entonces...» ¿Qué he dicho hasta aquí? Nada.

   Aquí tiene una mejor introducción: «Eliseo residía en Dotán. Una mañana se levantó temprano, salió a buscar el Diario de Dotán y vio algo que le pareció terrible». Ya los llevó al corazón de una historia, y la clase está atenta.

   Ahora bien, este consejo de tener una buena introducción presupone que usted sabe *qué* va a decir y *cómo* lo va a decir durante el tiempo restante. A mi juicio, casi todos los mensajes que he escuchado pudieran haber sido reducidos en un 25%, y en la mayoría de los casos más si el orador hubiera sabido mejor *cómo* decir lo que quería decir.

   También necesita una conclusión —la parte que menos se

prepara en la mayoría de los sermones y mensajes. Cuán a menudo he escuchado a un predicador casi al final de su sermón —y hasta lo puedo ver volando en círculos arriba de la pista del aeropuerto buscando dónde aterrizar a ese bebé— decir: «Por último... y para concluir... y además... y que Dios use esta verdad para bendecir sus corazones», cuya interpretación es: «No tengo la más mínima idea de cómo terminar esto».

Entre la introducción y la conclusión de su mensaje usted necesita ilustraciones (así como ayudas visuales que deberían incluirse siempre que sea posible). Estas son ventanas que dejan entrar la luz para que sus oyentes puedan decir: «¡Ajá, ahora comprendo!» No use ilustraciones de otros; obténgalas usted mismo del estilo de vida de las personas a quienes enseña. Póngase en el lugar de ellos y hable en esos términos —lo cual significa que usted debe conocerlos bien y ser sensible a lo que está en sus mentes y corazones en ese momento.

Cuando discipulo a un laico, uno de mis pasatiempos favoritos es llevarlo a desayunar o almorzar y hacerle una sencilla pregunta: «¿Con qué estás luchando? ¿Qué problemas estás enfrentando en la oficina?» No digo nada, solo escucho y tomo todas las notas que puedo. Personas como él son mis maestros. Nunca olvide: Un buen comunicador es sensible al *receptor*.

Por eso me gusta tanto trabajar con los laicos y las laicas —personas de negocios, amas de casas, carpinteros, plomeros, médicos, abogados, jugadores profesionales de fútbol— personas que después de ser instruidos en la verdad, la expresarán en sus propias palabras, en el medio de expresión con el cual se sientan cómodos. Hacen de la verdad su propiedad personal. Traducen el mensaje a su propio vocabulario. Sus palabras no son las mismas que las de sus maestros.

Así que la prueba de la comunicación no es lo que usted como maestro dice, sino lo que dicen sus estudiantes; no es lo que usted piensa, sino lo que ellos piensan; no es lo que lo usted siente, sino lo que ellos sienten; no es lo que usted hace, sino lo que ellos hacen.

2. La *presentación* incluye entre otras cosas, la dicción, hablar con claridad para que las personas entiendan exactamente lo que usted está diciendo.

   Yo me crié en la parte del noreste de los Estados Unidos de Norteamérica donde tenemos la tendencia de pasar por alto tres puntos esenciales en la articulación de palabras —los labios, los dientes y la lengua. Más adelante, cuando fui alumno de Wheaton College tomé clases privadas de música. La profesora comenzó a darme instrucciones, hablando de manera incomprensible, y pensé: *«Esta señora tiene problemas»*. Pero un día se me encendió el bombillo: Ella me hablaba de la misma manera que yo le hablaba. Así que comencé a articular mis palabras y mis compañeros de la universidad me dijeron: «Howie, por primera vez comenzamos a entender de qué hablas».

   Otro factor es el volumen de la voz. Si tiene una clase grande, siempre imagine que la persona sentada en la última fila tiene un aparato auditivo y la batería se le acaba de gastar. Esto es cierto especialmente al comienzo de cada clase. No significa que deba gritar, aunque debo admitir que a veces quisiera que algunos oradores lo hicieran —tal vez me convencerían de que están interesados en lo que dicen. También habrá ocasiones cuando para dar énfasis usted querrá bajar el volumen y hablar muy suavemente.

   Otra indicación: Varíe tanto su entonación —no sea como Juanito que habla en un solo tono— como también su ritmo. Intensifíquelos cuando quiera comunicar entusiasmo. Disminúyalos cuando esté enfatizando un punto importante.

Distracciones

Si por mí fuera, requeriría que cada persona que desee aprender a enseñar enseñe primero a los preescolares. Definitivamente es una educación de artes liberales.

Usted entra con su bosquejo firme en la mente:

I. Propósito de la oración
II. Poder de la oración
III. Producto de la oración

y entonces comienza. Les suelta un poco de griego para impresionarlos: *euchomai, proseuchomai, erôtaô.* De repente un pajarito se posa en el borde exterior de la ventana, y —¡bum!— toda la clase se levanta y le abandona para ver al pajarito más de cerca.

Por cierto, los adultos hacen lo mismo. Textualmente no se paran ni le dejan —para no faltarle el respeto se quedan sentados y mueven la cabeza, a veces en dirección equivocada— pero la verdad del asunto es que a menudo sus mentes están a miles de kilómetros de distancia; usualmente a causa de las distracciones.

Las distracciones vienen en dos formas. Algunas están dentro del oyente como individuo y no se pueden controlar:

... la mujer que tenía tanto estrés que no durmió la noche anterior;

... el hombre cuya esposa se está muriendo de cáncer;

... otro que esta semana recibió la noticia de que su compañía lo va a despedir —y tiene dos hijos que estudian en la universidad;

... la pareja que entra a la iglesia con su cara de cristiano después de haber peleado desenfrenadamente en el camino (ambos están mentalmente afilando sus armas para la próxima ronda).

Todo esto representa una estática en la línea comunicativa. Usted no puede hacer casi nada para arreglar la mayor parte de esta estática, excepto entender que estará presente.

Hay otras distracciones que normalmente usted sí puede controlar, como por ejemplo, la temperatura del salón, que nadie percibe excepto si hay mucho calor o mucho frío. O el arreglo del aula. Trate de llegar temprano a la clase y reacomodar las sillas. Tal vez a algunos santos les sorprenderá semejante cambio («¡estamos mirando en la dirección equivocada —quizás este se ha vuelto liberal!»), aunque para otros será señal de que hoy habrá algo diferente, algo que podría ser emocionante.

¿Qué de tener sus ayudas visuales en orden? No hay nada más cómico que ver la maestra promedio de niños operar el franelógrafo cuando no ha tomado el tiempo de poner en orden las figuras. «Hoy contaremos la historia de Abraham», dice ella, pero ¿dónde está Abraham? Y entonces se embarca en una expedición arqueológica para encontrarlo. O, tiene la pizarra en el ángulo equivocado mientras está narrando la historia de Josué. La maestra casi llega al clímax de la historia y... ¡bum!, todo se le cae. Los niños se ríen a carcajadas y la maestra piensa: *«¡Niños impíos!»* No, no son impíos, son piadosos. Tienen sentido de humor al igual que lo tiene Dios, y les encanta reírse.

También se dan ocasiones en las cuales usted le está hablando a un grupo grande y por el pasillo silenciosamente viene un ujier trayendo un mensaje para alguien que está sentado en la plataforma... y TODOS lo miran. ¿Sabe qué voy a hacer la próxima vez que esto me suceda? Voy a detenerme y decir: «Señores y señoras, un hombre viene caminando por el pasillo del lado. No le quiten los ojos de encima. Ya se acerca a la plataforma. Obsérvenlo cuidadosamente. Ahora le está pasando una nota al hermano Mascachicle. El hermano Mascachicle le está susurrando unas palabras. El hombre ahora se está alejando de la plataforma. Y ahí va... de vuelta por el pasillo». Y entonces volveré a donde me quedé en el mensaje.

Elimine tantas de esas distracciones como le sea posible.

Retroalimentación

Aquí está el paso final del proceso de la comunicación, y no se lo pierda porque se perderá todo: Obtenga retroalimentación.

Como maestro quiero saber qué saben los estudiantes, cómo se sienten y qué están haciendo.

Debo conseguir que los estudiantes me digan qué están aprendiendo. Puedo hacerles preguntas. La pregunta más importante, de una forma u otra, es: «¿Comprendiste?» Y si la respuesta es «No, no tengo la más mínima idea», tendrá que regresar al principio.

(¿No sería bueno que las personas en nuestras iglesias sencillamente se pusieran de pie cuando no entiendan lo que el orador está tratando de comunicar y dijeran: «Espere un momento; no tengo idea de lo qué está hablando»? Esto garantizaría que nadie se durmiera.)

También puedo recibir retroalimentación si les pido que escriban en sus propias palabras: «Dígame cómo puede aplicar esto a su a su esfera de influencia».

O puedo preguntar: «¿*Ustedes* tienen preguntas?» Y ellos formularán preguntas reveladoras que muestren si puse o no en forma comprensible lo que yo quería que ellos aprendieran, sintieran e hicieran. Me daré cuenta de los puntos débiles en mi comunicación.

En el seminario yo reúno a un pequeño grupo de estudiantes al final del curso y les pregunto: «¿Qué debe cambiarse en esta asignatura? ¿Qué les agradó? ¿Qué les desagradó? ¿Qué no tuvo sentido? No me digan lo que quiero oír; díganme lo que *necesito* oír». Y ellos me lo dicen.

Una vez hablé en un servicio del domingo en la noche de una iglesia en la costa occidental de los Estados Unidos de América. El lugar estaba repleto. Antes de entrar, el pastor me dijo: «Dr. Hendricks, se me olvidó decirle algo: Una vez que estemos adentro usted verá una mesa a la izquierda. Esta noche se sentarán allí un plomero, un médico, un ama de casa, un estudiante de secundaria y un misionero. Después que usted termine de predicar, ellos lo van a acosar con preguntas. ¿No le importa, verdad?» Yo pensé: *«¿Y ahora es cuando me lo dice?»*

Nunca antes me habían hecho preguntas tan perceptivas como las que me hicieron esa noche. Sus preguntas reflejaron las necesidades más profundas que tenía la audiencia, y sacaron a la luz todos los puntos débiles de mi presentación. El panel estaba allí para asegurarse de que yo hablara en términos de aquellas necesidades.

Si está dispuesto a escuchar una retroalimentación como esta, no habrá forma de impedir que usted mejore como maestro.

La retroalimentación nos lleva de regreso a donde comenzamos: El conocimiento-sentimiento-acción es traducido a palabras. Pero esta vez no son el conocimiento-sentimiento-acción y las palabras de *usted*, sino los de ellos, los estudiantes.

Ellos no son papagayos que sencillamente repiten lo mismo que usted ya les dijo. Más bien, ellos *entienden* al igual que usted lo entendió. *Sienten profundamente*, como usted lo sintió. Y al igual que usted, están permitiendo que la verdad afecte sus acciones de una manera significativa.

Para reflexionar

(Preguntas para su evaluación personal y para discusión con otros maestros).

1. En su opinión, ¿qué clase de «puente» de comunicación el maestro debe establecer con cada alumno, y qué «puentes» debe establecer con la clase en general?

2. ¿Cómo estima usted la calidad del estilo de su hablar cuando está enseñando? ¿Es su voz lo suficiente clara y fuerte? ¿Salen

sus oraciones como pensamientos lógicos y completos—fáciles de seguir? ¿Tiene usted modales que puedan obstaculizar su comunicación?

3. En su clase o con otro grupo de personas, ¿cuáles cree usted, sean las mejores formas de comunicar una meta o visión con la cual usted se siente muy entusiasmado?

¿Cómo puede la actitud del maestro dejar de ser fervorosa e inspiradora cuando el tema es tan rico en la radiante realidad?

—John Milton Gregory

Capítulo 5

LA LEY DEL CORAZÓN

La enseñanza que impacta no es de cabeza a cabeza, sino de corazón a corazón.

Esta es la ley del corazón, y es cierta mientras usted entienda el significado bíblico de la palabra *corazón*.

Es una de esas palabras difíciles de definir y que se presta al sentimentalismo. En la actualidad tenemos la tendencia de usarla con poca precisión, pero los escritores del Antiguo Testamento nunca la usaron así.

Deuteronomio 6.4-6 es un pasaje que revela el contexto bíblico de la palabra. Moisés dijo: «Oye, Israel: Jehová nuestro Dios, Jehová uno es. Y amarás a Jehová tu Dios de todo tu *corazón*, y de toda tu alma, y con todas tus fuerzas. Y estas palabras que yo te mando hoy, estarán sobre tu *corazón*».

Para los hebreos, el *corazón* abarcaba la totalidad de la persona —su intelecto, sus emociones, su voluntad.

Así que el proceso de la enseñanza consiste de una personalidad transformada por la gracia sobrenatural de Dios que busca transformar a otras personalidades por la misma gracia. ¡Qué privilegio!

Lo más fácil del mundo es tomar solo el camino de la cabeza. Tomar el camino del corazón es mucho más difícil. Pero también es el más remunerador. De hecho, transforma vidas.

Carácter-Compasión-Contenido

Sócrates resumió la esencia de la comunicación en tres conceptos fascinantes que llamó *ethos, pathos,* y *logos*. *Ethos* comprendía el carácter. *Pathos* comprendía la compasión. *Logos* comprendía el contenido.

Ethos, como Sócrates lo consideró, significa establecer la credibilidad del maestro, sus credenciales. Él entendió que quien usted es, es mucho más importante que lo que diga o haga, porque esto *determina* lo que usted dice y hace. Quien usted es como persona es su mayor palanca como orador, como persuasor, como comunicador. Usted debe ser atractivo para quienes aprenderán de usted. Deben confiar en usted, y mientras más confían, más usted les comunica.

Pathos, o compasión, se refiere a cómo el maestro estimula los sentimientos de sus oyentes y dirige sus emociones. Sócrates sabía que nuestras emociones deben correr en la dirección de nuestras acciones. Este es el secreto de la motivación, porque Dios nos creó como seres con emociones y sentimientos.

Sócrates también sabía que los oradores y los maestros necesitan contenido, e interesantemente le llamó *logos,* la misma palabra griega usada para Jesucristo en Juan 1: «En el principio era el Verbo *(logos)*. Y aquel Verbo (*logos)* fue hecho carne, y habitó entre nosotros (y vimos su gloria, gloria como la del unigénito del Padre), lleno de gracia y de verdad». Cuando Dios quiso comunicarse con nosotros, envolvió su mensaje en una Persona. Eso es exactamente lo que estamos llamados a hacer.

El concepto de *logos*, por lo tanto, incluye la reunión y presentación ordenada de su evidencia. Requiere la acción de la mente y da entendimiento. Provee razones para la acción que usted desea que los estudiantes tomen, de modo que vean cuán lógica y razonable es dicha acción.

Por supuesto, como maestro usted puede enseñar sin carácter, sin compasión, sin contenido. Pero razone conmigo qué consecuencia le traerá esto al estudiante.

Porque el *carácter* del maestro es lo que produce la *confianza* del estudiante. Cuando yo como estudiante veo la calidad de su vida, entonces sé que usted como maestro tiene una contribución significativa que ofrecer a mi vida. Yo puedo confiar en usted. Sé que no me va a mentir.

El factor confianza, la confianza en usted, es la ventaja más grande que tiene en la comunicación. Nunca haga algo para fragmentarla. Es lo más difícil de volver a ganar.

Entienda que la base de toda comunicación eficaz emana de nuestro interior. Periódicamente pregúntese: «¿Qué clase de persona soy?»

Segundo, su *compasión* es la que produce la *motivación* del estudiante. Si yo siento que usted me ama, estaré ansioso de hacer toda clase de cosas que usted quiere que yo haga.

¿Por qué siguieron los discípulos a Jesús? Es sencillo: Él los amaba. Los evangelios nos dicen: «Y saliendo Jesús, vio una gran multitud, y tuvo compasión de ellos». Hombres, mujeres, jóvenes y niños, todos son atraídos a una persona que los ama.

¿Qué reacción provocan las personas en usted? ¿Lo molestan? ¿Lo desafían? ¿A usted le gustan las personas, o las considera una amenaza?

Tercero, su *contenido* es lo que produce la *percepción* del estudiante. Usted, como maestro, lo ha visto; ahora yo, como estudiante, lo veo. Lo entiendo, lo he descubierto. Es mío, está entretejido en las fibras de mi vida.

Los mejores comunicadores —los mejores maestros— no son necesariamente las personas al frente, las muy conocidas. Son aquellas personas que tienen un gran corazón. Ellos comunican *con* la totalidad de su persona, y comunican *a* la totalidad de la persona de sus oyentes.

El proceso de enseñanza-aprendizaje

Piense por un momento qué significa realmente enseñar y aprender.

Enseñar es *causar*. ¿Causar qué? Causar que las personas aprendan. Esta es la definición más sencilla que conozco.

Existe una relación muy esencial entre enseñar y aprender. Es el proceso de *enseñanza-aprendizaje*, y note el guión. Estas palabras son inseparables. Si el estudiante no aprende, no hemos enseñado.

Ahora, por favor note: Enseñar es lo que *usted* hace; aprender es lo que hacen sus estudiantes. Hemos preservado esta distinción en el idioma español. Nunca decimos: «Yo le aprendí», porque eso es imposible. El estudiante debe aprender, el maestro solo puede enseñar.

Así que el enfoque de la enseñanza consiste primordialmente en lo que usted hace como maestro, y el enfoque del aprendizaje consiste principalmente en lo que el estudiante hace. Pero nosotros probamos la eficacia de su enseñanza no por lo que usted hace, sino por lo que hace el estudiante como resultado de lo que usted hace.

La definición más sencilla que conozco del aprendizaje es esta: Aprender es cambiar.

Esencialmente, aprender significa un cambio en su conocimiento, un cambio en su sentimiento, un cambio en su conducta. Aprender quiere decir que se produce un cambio en la mente, en las emociones y en la voluntad.

Cuando alguien haya aprendido, esa persona habrá cambiado. Pablo señala esto en Romanos 8.29: «Porque a los que antes conoció, también los predestinó para que fuesen hechos conformes a la imagen de su Hijo». Subraye la palabra *conformes* en su Biblia.

Usted conoce el proceso. Usted toma el polvo de la gelatina, la mezcla con agua, echa la mezcla en un molde para gelatina y la coloca en el refrigerador. Horas más tarde la saca, la vierte en un plato y allí la tiene. Lo que Pablo quiere decir es que usted está predestinado para que lo viertan en el molde de Jesucristo. ¡Esto sí que requiere un cambio revolucionario!

Solo unas páginas más adelante, en Romanos 12.2, vemos a Pablo usando las mismas palabras de nuevo: «No os conforméis a este siglo». O como J.B. Phillips lo parafraseó: «No deje que el mundo que lo rodea lo ajuste a su propio molde». Coloque estos pasajes juntos y verá el propósito de Dios: Usted está predestinado para que lo viertan en el molde de Jesucristo. Así que no permita que el mundo lo conforme a su molde, ya que estos dos procesos están diametralmente opuestos.

¿Y cómo podemos evitar que el mundo nos moldee? Pablo responde: «Transformaos por medio de la renovación de vuestro entendimiento». Lo evitamos por medio de la *transformación* —una metamorfosis. No es una transformación del exterior, sino del interior «por medio de la renovación de vuestro entendimiento, para que comprobéis cuál sea la buena voluntad de Dios, agradable y perfecta».

Requiere que cambiemos —que cambiemos radicalmente. Así somos conformados a la semejanza del Hijo de Dios.

Así que usted viene a su clase y los desafía en el área del discipulado. Usted los lleva a Lucas 14 y a otros pasajes. Y dice:

—¿Quieren cambiar su vida?

—Seguro —responden.

—Entonces deséchenla.

—*¿Desecharla?* —exclama alguien—. ¿Pero acaso no sabe que solo vivimos una vez? Hay que aprovechar tanto como se pueda.

Es interesante saber que personas sujetas a las prohibiciones evangélicas puedan estar completamente saturadas por esa filosofía. Exponernos a una dosis masiva del pensamiento mundano nos conforma al molde del mundo. Pero abrimos camino para el cambio cuando nos alejamos de esto y dejamos que la verdad viva de Dios se establezca en nuestras mentes, emociones y conducta.

Sin embargo, con frecuencia no vemos que nuestro conocimiento conlleve responsabilidad. Recargamos los circuitos con conocimiento, y fracasamos en enseñarles a las personas que cuando Dios se les revela, ellos pasan a ser los responsables. La pelota está en su cancha.

Créame, al leer este libro, ya está en deuda. Usted es responsable ante Dios por lo que hace con aquello a lo cual ha sido expuesto.

Dónde comienza el aprendizaje

Todo aprendizaje comienza a nivel del sentimiento.

Las personas aceptan lo que están dispuestos a aceptar, y rechazan lo que están dispuestos a rechazar.

Si ellos tienen una actitud positiva, tienden a tomar para sí lo que oyen. Si su actitud es negativa, tienden a dejarlo de lado.

Si yo tengo sentimientos negativos hacia usted, rechazaré lo que dice porque yo lo rechazo a usted.

Pero si usted me cae bien —y si sé que usted está interesado en mí— usted podrá lograr que yo haga las cosas más increíbles del mundo. Y es muy posible que a mí también me agrade su Señor, quien lo hizo de la manera que usted es.

A nadie le importa lo que usted sabe hasta que saben que a usted les importa.

¿Y qué de aquellos a los que usted enseña? —¿Son receptivos u hostiles?

Quizás mientras ellos lo oyen, están pensando: *«Ya he oído esto antes; y además, sospecho que usted es tan falso como el último individuo que me quiso hacer ese cuento»*. Si es así, tiene una gran tarea por delante.

Cuando usted se presente ante ellos, tal vez le ayude imaginar a cada uno con una pistola en la mano. Su tarea es hacer que dejen las pistolas a un lado. Esto se logra al establecer una relación con ellos —una conexión armoniosa, de manera que su audiencia se sienta libre para interactuar con usted acerca del tema que está enseñando.

A ellos se les gana con el *corazón.*

Piense qué pasaría el próximo domingo con el adolescente promedio de su clase si al salir por la puerta usted lo toma por el hombro y le dice: «Oye muchacho, solo quiero que sepas que estoy contigo. Estoy orando por ti. Si necesitas alguna ayuda, llámame, ¿está bien? Estoy a tu favor». Él nunca olvidaría quién es usted. ¿Cómo lo sé? Yo fui ese muchacho.

Puedo volver a mi iglesia en Filadelfia, y allí me abrazarán y me dirán:

«¡Ay, Howard, estamos tan orgullosos de ti!» Pero a veces me ha dado deseos de decirles a algunos de ellos: «¿De veras? En realidad usted no me ayudó en lo mínimo». Muy pocas personas me veían como algo diferente que el malcriado de la Calle Siete. ¡Pero cuántas gracias le doy a Dios por estos pocos que *sí* me vieron como algo más! Todos los días de mi vida le doy gracias a Dios por aquellos que de alguna manera se preocuparon por mí lo suficiente como para decirme: «Está bien, Howie. Estamos contigo. Te amamos. Estamos orando por ti».

Supongamos que usted está enseñando una clase de muchachos de 13 a 15 años de edad y tiene a uno que detesta estar allí, pero que le obligan a venir.

Usted no puede ignorar esa actitud. Por lo tanto, usted le dice: «Oye,

Felipe, ¿puedo verte mañana después de clases para salir a tomarnos una Coca-Cola?»

Al próximo día se sientan y conversan, y después de un rato usted le dice:

—¿Te desagrada bastante asistir a la escuela dominical, verdad?

—Sí.

—De hecho, ¿si pudieras elegir nunca estarías allí, cierto?

—Correcto.

—Solo quiero que sepas que es maravilloso tenerte con nosotros. Ha sido un placer conocerte. Gracias por asistir. Pero comprendo. Yo también fui un adolescente, aunque te parezca difícil de creer. Sé cómo te sientes. Pero está bien, de todas formas te amo.

Observe cómo cambia su actitud. Todavía le obligan a venir a la escuela dominical, pero usted, como maestro, deja de ser parte del problema. Ahora ambos juegan para el mismo equipo.

O, usted enseña a niños pequeños y Juanita llega luciendo sus zapatos nuevos. Si usted no los nota enseguida, ¿sabe cuándo va a oír hablar de ellos? En medio de la historia bíblica. Estará llegando al clímax, los ojos de cada niño estarán abiertos como del tamaño de unos platos y de repente Juanita irrumpirá y dirá: «¿Viste mis *zapatos nuevos*?» (Por supuesto, si usted estuviera tan cerca a sus zapatos como Juanita está a los suyos, usted también hablaría más de ellos.)

Por eso es que cuando ella entra, usted le dice: «Hola, Juanita, ¡mira esos zapatos nuevos!» Y durante la narración usted de alguna manera busca la oportunidad para hablar de alguien que adquiere zapatos nuevos —«¡iguales a los de Juanita!». Ella le prestará atención hasta el fin.

Nunca olvide los hechos Nunca olvide el contenido

No estoy diciendo que el contenido no sea importante.

De vez en cuando alguien me dice: «Sabe, Hendricks, realmente no importa *lo* que usted cree. Lo importante es *cómo* lo cree». Pero bíblicamente hablando, eso no tiene sentido. Lo que usted cree hace toda la diferencia en el mundo, porque lo que cree determina cómo se comporta. Sin dudas, es posible creer lo correcto y comportarse de manera incorrecta. Pero usted no puede comportarse bien con consistencia *a menos que* crea lo que es correcto.

Como ve, Dios ha hablado, y no ha tartamudeado. La Biblia es una revelación, no una adivinanza.

Las personas me dicen: «¿Sabe qué? No puedo entender este libro. Me parece que el Señor está jugando conmigo». Ellos tienen miedo de perder el juego y llegar al cielo para encontrarse a Dios jactándose: «¡Ajá¡, no lo entendiste».

Yo les digo que Dios está mucho más preocupado que nosotros de que entendamos Su libro. Pero lo entenderemos cuando lo *estudiemos*. No es una pata de conejo que dé suerte. No es posible conseguir cambios milagrosos en su vida con solo frotarla.

¿Se le ha ocurrido pensar que cuando Dios le dio forma a Su mensaje en Su Libro, lo hizo con la intención consciente de hablarle directamente a usted, en este preciso día, y en este siglo?

Dios quiere comunicarse con nosotros y ha escrito Su mensaje en un Libro que contiene todo lo que necesitamos para ahora y para la eternidad. Esto lo damos por sentado. Este es nuestro mensaje.

Permítame recordarle que el cristianismo no se basa meramente en la experiencia, (aunque produce una experiencia), sino en hechos históricos.

Pablo nos hace recordar esto en 1 Corintios 15. ¿Cuál es la esencia del evangelio? Pablo dijo que es estos cuatro hechos históricos:

Cristo murió.

Fue sepultado.

Resucitó.

Apareció a ciertas personas.

¿Cómo sabemos que Cristo murió? Porque lo sepultaron. ¿Cómo sabemos que resucitó? Porque Él se apareció a ciertas personas.

Así que desde la perspectiva bíblica el contenido es críticamente importante. Necesitamos conocer la verdad que Dios nos ha revelado. Nunca olvide las verdades de la Palabra de Dios. Pero el asunto no termina aquí. Hay más. Está el nivel del sentimiento, de las emociones; y el de la voluntad —acción, conducta.

La enseñanza y el aprendizaje bíblicos no habrán tomado lugar hasta que la mente, las emociones, y la voluntad no hayan sido cambiadas.

Sea una persona de impacto

Espero que esté pensando: «Hendricks, eso está muy bueno pero, ¿y qué? Es una gran verdad, pero ¿cómo la transfiero a mi enseñanza?»

Le daré tres cosas que puede tomar y explotar hasta dónde usted quiera, si desea ser una persona de impacto. Nadie que lea este libro carece de la capacidad para hacer estas tres cosas:

1. Ya esto lo hemos mencionado antes, y vale la pena repetirlo: *Conozca a sus alumnos*. Mientras más conozca las necesidades de ellos, mejor capacitado estará para satisfacerlas. Por supuesto, esto requiere un compromiso, y lleva tiempo, y aquí es donde perdemos a tantos maestros. Pero no hay una fórmula mágica. La buena enseñanza tiene un precio: Uno tiene que estar dispuesto a dar de su vida.
   Significa involucrarse personalmente con los estudiantes, tanto dentro como fuera de la clase, tanto formal como informalmente. Significa llegar temprano a la clase y quedarse hasta tarde, solo para hablar con ellos. Significa invitarlos a venir a su hogar.
   Algunos de nosotros, profesores profesionales, estamos educados más allá de nuestra inteligencia. En la actualidad, un profesor típico de universidad viene a la clase preparado hasta el máximo —le encanta la asignatura y puede hablar de ella en cualquier momento— pero después de terminar la clase, desaparece y usted no lo volverá a ver hasta la siguiente. Si quiere alcanzarlo para hablar con él, tendrá que ponerle un traspié a su salida del aula.
   A menudo, mi esposa habla en conferencias para mujeres. Tratamos de coordinar nuestras agendas ministeriales a fin de

poder viajar juntos, pero de vez en cuando ella se va sola sin mí. Entonces yo llamo al seminario, a uno de los dormitorios para hombres solteros, y pregunto si puedo pasar allí el fin de semana.

—¿Está bromeando? —me dicen.

—No. Y prométanme que no me van a hacer travesuras. (Usted no se imagina las cosas que tratan de hacerme.)

De modo que pasaré allí el fin de semana y me divertiré al máximo hablando por horas con diez o quince muchachos a la vez, todos apretujados en una habitación del dormitorio. Parece un zoológico, pero es emocionante.

Algunos de nosotros estamos en un mundo de sueños, sin realmente conocer a nuestros estudiantes. Así que lo desafío a ser parte de sus vidas.

Usted puede impresionar a las personas desde lejos, pero solo las impactará desde cerca.

Y mientras más cerca esté de ellos, mayor y más permanente será el impacto.

¿Alguna vez deja que las personas lo observen cuando tiene la guardia baja? Una vez invité a unos estudiantes a mi hogar para ver un juego de fútbol americano entre los *Cowboys* y los *Redskins* por televisión. En una de las jugadas me emocioné tanto que di un puñetazo y mi reloj salió volando, y acabó en pedazos. «¡Ah, es humano!» dijo uno de los muchachos. Sí, demasiado humano.

Por lo general, ponemos todo en orden y solo *entonces* dejamos que las personas nos vean. Pero lo que realmente necesitan es vernos cuando estamos desilusionados o cuando nos enojamos. Entonces no podrán negar que usted es humano y se convencerán de que está cortado de la misma tela que ellos.

2. *Gane el derecho de ser escuchado*. Usted no puede caminar por la calle y decirle al primero que encuentre: «Yo sé cuál es su problema». Es muy probable que a usted le digan unos cuantos

insultos. Incluso, aunque usted *sí* sepa cuál es el problema, le garantizo que no logrará hacer que esa persona lo escuche. La credibilidad siempre precede a la comunicación.

Es por eso que estoy convencido de que algunas de las personas más sencillas en nuestras iglesias están ministrando de manera extraordinaria, porque se han ganado el derecho. Ellos no son los que usted ve en los grandes escenarios, pero son personas que cambian vidas —y nuestra sociedad enfocada en las celebridades nunca lo ha captado.

Así que: Gane una audiencia.

3. *Esté dispuesto a demostrar su vulnerabilidad ante sus estudiantes*. Déjelos saber con qué ha tenido que luchar y con qué ha luchado por años.

 Si tiene una clase de niños, cuénteles con qué luchaba cuando tenía esa misma edad. Ellos se identificarán con eso y les encantará. Si son adolescentes, déjeles saber que una vez usted fue adolescente y también tuvo sus propios problemas. (Si usted no cree que los tuvo, pregúntele a algunos que lo conocieron en ese entonces, y le darán algunos datos.)

 Una de las mejores reacciones que recibo de los estudiantes es cuando les menciono el problema que tuve con la depresión. Con eso ellos se identifican fácilmente, pero no con mis éxitos. Recuerde, la mayoría de las personas tienen la tendencia de verlo a usted en términos de dónde se encuentra en este momento de su vida, en lugar de verlo de dónde ha venido, y lo que ha pasado. Ellos no vieron el proceso —sin embargo, por la gracia de Dios, usted ha recorrido un largo camino. Así que busque la manera de cómo comunicarle a otros lo que Dios le enseñó mediante esas experiencias desafiantes y esos fracasos agonizantes; experiencias que lo hicieron la persona que usted ahora es.

Para reflexionar

(Preguntas para su evaluación personal y para discusión con otros maestros).

1. En sus propias palabras, ¿cómo describiría usted la enseñanza de «corazón a corazón»?

2. ¿A cuáles estudiantes de su clase aprecia más y por que? ¿Cuáles estudiantes piensa usted que tienen la mayor «necesidad» de sentir su aprecio?

3. ¿Cómo afecta a su enseñanza las emociones y actitudes que usted ve en sus alumnos? ¿Alguna vez le desalientan? ¿Le levantan? ¿Le enfadan?

4. ¿Qué cree usted que disfrutan más los estudiantes de su clase y por que?

La naturaleza de la mente, hasta donde podamos comprenderla, es aquella de un poder o una fuerza que los motivos activan. El tictac del reloj tal vez suene en el oído, y el objeto que pasa puede pintar su imagen en los ojos, pero la mente distraída ni oye ni ve.

—John Milton Gregory

Capítulo 6

LA LEY DEL ESTÍMULO

Dentro de la caja que aparece al pie de la página están todos los secretos de la motivación. ¿Me cree? La caja está cerrada con llave, pero afortunadamente tengo las llaves, así que miremos el contenido.

La primera cosa que saco es una pequeña bolsa de papel llena de piedras interesantes. Un niño de siete años de edad empleó tres horas de un sábado por la mañana para recolectarlas. Nadie le pidió que lo hiciera. No era una tarea para alguna asignatura. Pero por alguna razón él decidió hacer esto. ¿Por qué cree que lo hizo?

La segunda cosa que tomo de la caja es un libro muy gastado sobre los cuidados del bebé, con todo tipo de manchas y con páginas que se le están cayendo. Mi esposa y yo criamos cuatro hijos con este libro. Nadie le dio a mi esposa la tarea de leerlo, sin embargo ella acudía a él una y otra vez. ¿Por qué cree que lo hizo?

Lo siguiente es un paquete de tarjetas con versículos de las Escrituras para memorizar. ¿Alguna vez comenzó un programa para memorizar versículos de la Biblia? Si así fue, ¿por qué lo hizo? Y si comenzó, ¿alguna vez lo dejó? ¿Por qué?

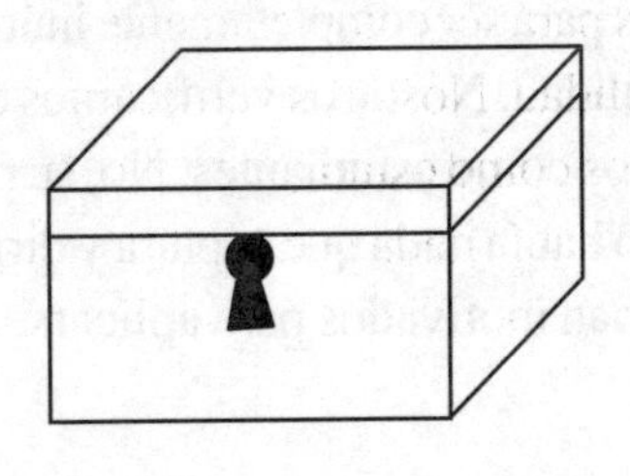

El siguiente artículo es un folleto informativo del gobierno federal acerca de los impuestos. ¿Alguna vez ha hecho sus devocionales diarios con uno de estos? Emocionante —más divertido que tener lepra. Pero una vez alguien me dijo: «Hendricks, si lees esto, te ahorrarás seiscientos dólares». ¿Cree que lo leí? Claro que sí, y me ahorré seiscientos dólares y algo más.

Ahora saco la camisa del uniforme de mi hijo Bill cuando estaba en la Brigada de Servicio Cristiano, una organización como los Boy Scouts, pero con una orientación cristiana. En un bolsillo hay cuatro distintivos —y no se puede imaginar cómo trabajó para ganárselos. Cada distintivo solo costó treinta y cinco centavos, pero ¿cuánto cree que representaban para Bill? ¿Quién podría ponerles precio? Creo que he leído todo lo que hay escrito sobre el tema de cómo motivar a las personas. Pero nunca encontré un método exitoso que no esté representado por las cosas en esa caja: Conceptos como *propiedad, curiosidad, satisfacción de necesidades, utilidad, desafío, reconocimiento, aprobación*.

CM

El problema número uno en la educación actual es el fracaso para motivar a los aprendices... moverlos de la inacción a la acción.

Mientras más tiempo enseño, más me convenzo de que el CM de una persona —su coeficiente de motivación— es más importante que su CI (coeficiente de inteligencia).

He visto estudiantes que al llegar a su graduación están altamente calificados para ser completamente inútiles. Su problema no es la falta de habilidad. Nosotros verificamos que tenían habilidad antes de admitirlos como estudiantes. No, su problema era la falta de aplicación. No había nada que captara y dirigiera su habilidad y energía. No estaban motivados para aplicarse.

La ley de la motivación es esta: *La enseñanza tiende a ser más eficaz cuando el estudiante está apropiadamente motivado.*

Subraye la palabra *apropiadamente* en esta definición, porque nos dice que también existe la motivación inapropiada —motivación ilegítima que puede traer resultados devastadores.

Una forma de esta última es lo que yo llamo la motivación del caramelo: «Hijo, pórtate bien en la iglesia, y te compraré un helado». O, «Apréndete doscientos versículos de la Biblia de memoria y te enviaremos a un campamento por una semana». Ahora, estas suenan bien, y pueden lograr que los estudiantes hagan cosas buenas. Pero sin duda es posible que esas cosas buenas no rindan buenos resultados.

Cuando yo era director de jóvenes en una iglesia en Illinois, había un muchacho en el departamento de adolescentes que había aprendido seiscientos versículos a la perfección. Hasta lo llevamos a un programa de radio cristiano y le hicimos una prueba en el aire.

Después supimos que aparentemente todos los domingos alguien estaba robando dinero de la ofrenda del departamento de jóvenes. Se nombró a un comité para que investigara, y —¡ya lo adivinó!— el culpable era el muchacho que sabía los seiscientos versículos.

Lo llamé a mi oficina y le repetí un versículo de las Escrituras (el cual, a propósito, me dijo que no repetí bien). Le dije:

—¿Ves alguna relación entre este versículo de las Escrituras y tus robos de la ofrenda?

—No —dijo primero.

Y luego:

—Bueno, tal vez sí.

—¿Cuál crees que sea la relación?

—Que me descubrieron —dijo.

Así que hacer cosas buenas no garantiza buenos resultados. Todo está determinado por las razones de la motivación.

Otra motivación inapropiada es la culpa. Esta es otra razón por la cual muchas personas memorizan la Biblia: *No puedo ser un cristiano de primera clase si no memorizo estos versículos.* Por cierto, esta probablemente sea una de las motivaciones más comunes que algunos comunicadores cristianos usan. Van amontonando más y más culpa sobre las personas, y estas siguen colocándose en formación, y salivando al toque del timbre. Pero todo por razones equivocadas.

No obstante, otra motivación inapropiada incluye el engaño —intencional o no intencional. Si yo le digo que conozco una fórmula para el éxito y lo convenzo de que si la prueba inmediatamente, esta revolucionará su vida por completo, es probable que usted la pruebe... pero solo una vez. Es mejor que funcione la primera vez, o esa será la última cosa que usted querrá escuchar de mí.

Así que amigo, dejemos de prometerle a las personas más de lo que promete el cristianismo, más de lo que prometen las Escrituras. No diga: «Si viene a Cristo, se resolverán todos sus problemas». Así es como las personas se desilusionan. Seguro, Cristo satisfará sus necesidades, pero no de acuerdo al guión de usted, ni en su tiempo, ni a su manera.

Estoy guiando personas a Cristo que están descubriendo que tienen problemas que nunca supieron que tenían. Como el individuo que no sabía que su matrimonio necesitaba ayuda hasta que vino a Jesucristo y comenzó a estudiar las Escrituras, y Dios le dijo: «Quiero que ames a tu esposa como Cristo amó a la iglesia». Entonces supo: Es una experiencia completamente nueva. Así que tenga cuidado con lo que usted le dice a las personas como medio de motivación.

Conciencia de la necesidad

Existen dos niveles de motivación. El primero es la motivación extrínseca —la motivación externa. El segundo es más significante —motivación intrínseca, que viene de adentro.

Su tarea en toda motivación extrínseca es desencadenar la motivación intrínseca. Usted quisiera meterse dentro del estudiante, hurgar por allí, encontrar su botón rojo y oprimirlo. Pero no puede. Tiene que trabajar desde el exterior para lograr que algo suceda en el interior.

Podemos ver algo de cómo Dios realiza esta motivación interna en un versículo de la Biblia que sospecho ya ha memorizado — Romanos 12.1.

Comienza diciendo: «Así que...» y cada vez que usted vea un *así que* en las Escrituras, querrá saber a qué se refiere. Pablo continúa: «por las misericordias de Dios». ¿Qué misericordias? Las misericordias que ha acabado de detallar en los once capítulos anteriores. Así que a base de la misericordia de Dios, a base de lo que Dios ha hecho, Pablo dice: «os ruego que presentéis vuestros cuerpos en sacrificio vivo».

Mi profunda convicción es que una de las razones por la cual en la comunidad evangélica los creyentes no se comprometen de manera más profunda al discipulado es que le pedimos a las personas que *hagan cosas para Dios*. Sin embargo, Dios nunca le pide hacer algo para Él hasta no informarle por completo lo que Él ha hecho por usted. Cuando por fin ya usted está asido por todo lo que Él ha hecho a su favor, la reacción más lógica, razonable, inteligente y natural es entregarle todo lo que usted tiene —su mente, sus emociones, su voluntad— a Su señorío. Ahora está internamente motivado y en camino a la madurez.

Tenemos demasiados padres y maestros que creen que su tarea principal es criar a un niño bueno o una niña buena. Pero su tarea es criar a un buen *hombre* o a una buena *mujer* —es decir, una persona con iniciativa cuya motivación viene de adentro. Tenemos demasiadas personas que a la edad de cuarenta y seis años siguen siendo niños y niñas buenos.

Como maestro —como motivador— usted quiere ayudar a sus estudiantes a que lleguen a ser personas con iniciativa. Usted quiere que ellos hagan lo que hacen, no porque se les pida o porque se les tuerza el brazo, sino porque ellos mismos han decidido hacerlo.

Una de las mejores maneras de provocar esta elección es ayudar al estudiante a tomar conciencia de su necesidad.

Supongamos que yo le ofreciera darle lecciones acerca de cómo hablar en público. Usted responde:

—Bueno, Hendricks, no creo que estoy realmente interesado; vea, no soy tan mal orador.

—Bien —le digo—. Me gustaría que hablara en nuestro almuerzo para hombres de negocios el próximo jueves. Asistirán alrededor de trescientos o cuatrocientos hombres, la mayoría no son cristianos, y me gustaría que les diera un testimonio de tres minutos.

Ahora no hay forma de que usted pueda salir del compromiso.

—Ahhhh... claro, claro. ¿Tres minutos?

—Sí. Eso quiere decir sesenta segundos por tres.

—Ja, ja...claro, por supuesto.

El jueves siguiente usted se pone de pie y mira a todas esas personas, y se paraliza. Agarra sus notas como si temiera que fueran a salir volando. Dice un chiste pero se le olvida la frase clave. Comienza su testimonio y pone el final al principio. No tiene idea de lo que dijo después. Ya no ve a nadie que esté sentado más allá de la tercera fila. Es un desastre. Por fin, usted se sienta.

—Me parece que me extendí un poco —susurra usted.

—Solo nueve minutos —le digo—. A propósito, ¿te gustaría que te diera algunas clases acerca de cómo hablar en público?

—¿Cuándo comenzamos?

La necesidad ha llegado a hacerse *sentir.* Es por eso que la mayor parte de su metodología de enseñanza debería exponer a los estudiantes a las experiencias de la vida real.

Por varios años enseñé un curso sobre consejería. Después de la clase, un estudiante vino y me dijo:

—Profe, ¿tiene algo un poco más desafiante?

—Sí —le dije—. Creo que puedo buscar algo.

Llamé a un amigo que trabaja para el centro de delincuencia juvenil en Dallas y le dije:

—Tengo un estudiante que necesita una lección.

—Ya capté la situación —me dijo.

Así que envié al estudiante. Lo pusieron en una celda con un muchacho de catorce años de edad acusado de veintiséis infracciones serias. El estado de Texas estaba esperando que creciera para encarcelarlo permanentemente.

El muchacho estaba sentado con los pies apoyados en el marco de la ventana cuando mi estudiante fue llevado a su celda, y se escuchó el sonido de la puerta cerrarse detrás de él.

El muchacho volteó y dijo:

«Todos los días me traen a alguien con un cuento diferente. ¿Cuál es el tuyo?»

—Profe —me dijo luego el estudiante— eso me trajo abajo allí mismo.

Regresó a la clase dispuesto a aprender más.

Una vez me encontré con otro seminarista que estaba en camino a dar un discurso evangelístico ante una fraternidad de universitarios. Me pidió que orara por él.

—¿Por qué quieres que ore? —le pregunté.

—Pida que no me hagan pedazos —me contestó.

Le prometí que iba a orar para que ellos hicieran exactamente eso. Al día siguiente me dijo:

—El Señor contestó sus oraciones.

Lo hicieron picadillo. Pero en la actualidad tiene uno de los mejores ministerios para estudiantes universitarios en América, y él recuerda a ese día en la fraternidad como el punto en el cual captó la realidad, cuando descubrió cuánto era lo que no sabía.

Un buen entrenamiento

Uno motiva a las personas al estructurar correctamente su experiencia de aprendizaje. La capacitación incluye cuatro etapas importantes. La primera es la etapa de *decir*, y por lo general este es nuestro punto más fuerte. Siempre recomiendo que en esta etapa se registre el contenido por escrito y en una cinta de grabación. No haga que los estudiantes dependan de una sola exposición del contenido, sino póngalo de forma que ellos puedan repasarlo repetidamente. Solo entonces comenzarán a captarlo en realidad. A propósito, nuestra investigación nos demuestra que para un aprendizaje eficaz, las mujeres están más dispuestas a leer libros, y los hombres están más dispuestos a oír cintas grabadas —aunque por supuesto, hay excepciones.

La próxima etapa es la de *demostrar*. Usted provee un modelo. ¿Cómo se ve?

Póngale carne y hueso.

Deje que lo observen allí en medio de los cocodrilos, luchando, relacionando la verdad a su vida. Cuando vean la verdad en acción, dirán: «Oye, eso es lo que quiero».

Con frecuencia fracasamos en esta área. En los cursos para preparar maestros de escuela dominical decimos: «Vengan la próxima semana para una clase muy importante de cómo contar historias». A la semana siguiente vienen y el instructor se para y les dice: «Las historias son muy importantes. Jesús contó historias. Todos los grandes maestros han contado historias. Una historia tiene cinco partes importantes que son...». Entonces llega al final de la presentación y dice: «¿Alguien quiere hacer alguna pregunta?» ¿Pero quién podría hacer una pregunta? Ni siquiera podrían identificar una historia aun si tropezaran con una. Decimos: «Regresen la próxima semana para otra clase emocionante de entrenamiento para maestros» —y huyen en masa.

Las etapas tres y cuatro incluyen la *práctica* —pero de maneras diferentes: Primero en una situación *controlada*, después en una *no controlada* de la vida real.

Nunca he oído de un curso de natación por correspondencia. No, usted aprende a nadar nadando, y no leyendo libros, ni viendo a los profesionales nadar de un lado al otro de la piscina. Tiene que mojarse.

Yo acostumbraba mandar a mis estudiantes a observar las clases nocturnas de la escuela de leyes de la universidad donde enseñaba uno de los maestros más brillantes que he conocido, un hombre que produjo más abogados defensores y demandantes de éxito que ningún otro profesor de leyes en Texas. Era famoso por ser un poco áspero, pero los estudiantes sabían que él los amaba y que dedicaba todo su conocimiento y habilidad expertos para ayudarlos.

Él daba sus clases de ley como si fueran una sala de tribunal con los abogados demandantes por un lado y la defensa por el otro, con un estudiante representando el papel de juez y otros haciendo de jurado. Todos participaban.

Comenzaba el juicio, y pronto el profesor caminaba por el pasillo central, gritando contra el abogado demandante: «¿No me vas a decir que manejarás este caso así, verdad?» Después de que sacaba a relucir las debilidades de cada uno, se volteaba rápidamente y desafiaba a los estudiantes que estaban del otro lado: «¿Saben lo que yo haría con una defensa tan pobre? La mataría».

Cuando se terminaba la clase, él decía con un guiño: «¿Quieren que les diga como ganar este caso? Síganme». Cruzaba el campo universitario seguido por veinte estudiantes y juntos tomaban café y hablaban sobre el caso.

Una vez le pregunté cuál era su filosofía de enseñanza. Me contestó:

«Prefiero que mis estudiantes pierdan aquí y ganen allá afuera, que ganen aquí y pierdan allá».

¿Y qué de nosotros? ¿Están nuestros estudiantes ganando dentro de la iglesia pero perdiendo por doquier allá afuera en el mundo real?

Creo que he tomado siete cursos sobre evangelismo personal —una vez reflexioné sobre esto y los conté. La honestidad me obliga a decir que ninguno de ellos me ayudó para nada.

En uno de los cursos de la universidad memorizamos una lista de versículos bíblicos que respondían a las objeciones más comunes que las personas tienen hacia el evangelio. Entonces nos mandaron a Union Station, una estación de trenes en Chicago. El primer individuo con quien hablé me dio una objeción que no estaba en la lista. Y no supe qué hacer.

Por supuesto, durante mis días como estudiante de la universidad y del seminario yo tenía todas las respuestas para contrarrestar la enseñanza ineficaz. Acostumbraba sentarme en la clase y pensar: *«Hombre, esto sí es triste. Esta tiene que ser la peor de las asignaturas que he tomado hasta ahora. ¡Y encima estoy pagando por ella!»* Tenía tanta amargura que usted no lo creería.

Entonces un día le expresé mis sentimientos a un misionero que vino de visita, y él me dijo: «Howie, yo tengo el mismo problema. Eres un crítico destructivo, no un crítico constructivo. Cuando estés en la clase, dibuja una línea en el medio de la hoja de papel que estás usando para tomar notas. En un lado, escribe las notas de la clase como normalmente harías. En el otro, escribe lo que cambiarías si tú estuvieras enseñando la asignatura».

No fue una mala sugerencia. Y porque la seguí, ahora puedo mirar hacia atrás y ver cómo en esas clases formé y moldeé mi filosofía de la educación teológica. Jamás me imaginé que luego enseñaría en un seminario, pero sabía que tenía que haber una forma mejor de enseñar que la que yo a menudo recibía.

Cuando enseñé homilética en el seminario, nos divertíamos muchísimo con cierta tarea que con frecuencia asignaba al principio del curso: «Desarrollen una ilustración, cualquiera que quieran, que ilustre cualquier punto, y vengan a la próxima clase preparados para presentarla oralmente».

Llegaba la clase siguiente, y algunos estudiantes trataban de esconderse en sus sillas con la esperanza de que yo no los viera.

—Bueno, hombre —le decía a uno de ellos— es tu turno.

—¿Yo, profe?

—Tú.

Se levantaba renuentemente, comenzaba a decir la historia y se detenía.

—No puedo creerlo, profe, se me olvidó el resto. Déjeme sentar.

—No, no te puedes sentar. ¿Alguno de ustedes quiere que se siente?

La clase respondía con un coro de NO.

—Nadie quiere que te sientes.

Finalmente recordaba el resto. La clase lo aplaudía y se sentaba sonriente.

—¿Es la primera vez que haces esto?

—La primerísima vez, profe.

—¿Lo disfrutaste?

—No —se reía—, fue horrible.

Podría mencionar estudiantes como este que ahora son conocidos internacionalmente por su ministerio como oradores, hombres que ustedes celebran. Pero deberían haber escuchado el primer mensaje que dieron en la clase.

¡Causó dolor!

Por supuesto, yo sudo frío cuando recuerdo el haber tenido que saludar a las personas que salían del primer culto en que prediqué. «*Oh, Señor, ¿por qué?*» pensaba. Deseaba tener una puerta secreta detrás del púlpito para poder desaparecer por allí. «Ay,

Howard, fue maravilloso», decían aquellas queridas personas, y yo sabía que estaban mintiendo. Pero así es como todos tenemos que comenzar.

Otra marca del buen entrenamiento es darle a las personas responsabilidad y hacerlos que rindan cuentas de ella. Nuestro problema en las iglesias es que no hacemos esto. El gobierno de los Estados Unidos de Norteamérica toma aeroplanos que cuestan millones y los pone en manos de muchachos de diecinueve años de edad, y cuando esos mismos muchachos vienen a la iglesia, ni siquiera los dejamos recoger la ofrenda.

Mientras más esfuerzo ponemos en algo, más lo apreciamos. Mientras mayor sea la inversión, mayor será el interés.

Una autoridad líder en capacitación me dijo que algunos de los mejores programas de entrenamiento en el mundo los ofrecen las sectas.

Un domingo por la mañana yo estaba en la casa recuperándome de una cirugía. Dos hombres bien vestidos, que no me conocían en lo mínimo, tocaron a mi puerta.

(A los evangélicos nunca se les ocurre hacer visitas evangelísticas los domingos por la mañana, aunque es el mejor momento para encontrar a los paganos en casa.) Uno era mayor, el otro joven. Los invité a entrar y tuvimos una conversación muy interesante.

Estuvimos mirando varios pasajes bíblicos, y con frecuencia decían:

—Ahora bien, en griego dice esto y aquello.

—¿El griego? —les dije—. ¿Y qué tiene que ver el griego con todo esto?

—Bueno, señor Hendricks —dijo el más joven—, tal parece que usted no sabe mucho acerca del Nuevo Testamento. Fue escrito en griego.

—Fascinante. ¿Tú lees griego?

—Bueno, sí, es parte de nuestra preparación.

—Bien —le dije.

Busqué mi Nuevo Testamento en griego, se lo di, y se puso de todos los colores del arco iris.

Enseguida el hombre mayor trató de rescatarlo, pero comencé a refutar sus argumentos:

—Mire, aquí el griego no significa nada de lo que ustedes me dicen.

Así que se levantaron para irse.

¿Y a dónde fueron? ¿A la próxima puerta? No, no de inmediato —eran demasiado inteligentes como para hacer eso. Este era un momento apto para la capacitación, para la enseñanza. Los vi alejarse un poco por la calle y detenerse, y hablaron por una hora. El hombre más viejo, el entrenador, sin duda alguna le estaría diciendo al aprendiz cómo evitar meterse en esa clase de problema la próxima vez.

Solo después fueron a mi vecino de al lado. Al siguiente día le pregunté:

—Jim, ¿cuál de los dos habló?

—El más joven —me dijo.

Por supuesto, él estaba siendo entrenado.

El toque personal

¿Alguna vez ha estado en una sala de tribunal donde se esté leyendo un testamento? El lector está leyendo entre dientes la jerigonza legal y todos los demás en el salón están medio dormidos —todos, excepto la persona a la que el testamento nombró beneficiaria.

La aplicación: Cuando lo que usted está enseñando tiene el nombre del estudiante escrito en todo —y cuando él ve que en efecto, su nombre aparece a través de toda el Libro, y es *personal*— habrá una gran diferencia en su grado de motivación.

He enseñado en la misma escuela por más de treinta y cinco años y me siento muy humilde al considerar el impacto ministerial actual de algunos de los estudiantes en los cuales Dios ha dejado marca mediante mi vida. Creo que la razón por la cual Dios me ha usado es que, por Su gracia, el Espíritu Santo ha desarrollado en mí una confianza incurable en Su habilidad para cambiar a las personas.

Confío en que el Espíritu le haya dado esa misma confianza, porque si usted no la tiene, su impacto siempre será limitado. El Espíritu de Dios quiere usarlo como Su herramienta de motivación sobre el estudiante para que usted trabaje externamente, mientras que Él obra internamente.

Algunos de los mejores motivadores que conozco nunca trabajan en un salón de clase. Son maestros sin la etiqueta —hombres y mujeres que están discipulando a otros y cambiando las vidas y las perspectivas de otras personas. ¿Por qué? Porque están dispuestos a ser parte de las vidas de otros.

Estoy convencido de que todos —sin excepción— pueden ser motivados a aprender.

Pero no al mismo tiempo... ni por medio de la misma persona... ni en la misma forma.

Es crucial lo que se hace y cuándo. La enseñanza es la construcción de una bomba de tiempo en el aula, destinada para ser explotada en una fecha futura y en un local diferente. Por eso es que usted necesita caminar por fe para ser un buen maestro, y necesita mucha paciencia.

Y *usted* no es la respuesta de Dios para cada persona. Esa es la idea del cuerpo de Cristo. Usted puede llegar a personas a las que yo nunca podré tocar ni con una vara de veinte pies de largo, y otra persona podrá alcanzar a otros que ni usted ni yo podremos alcanzar.

Motivación creativa

Las personas en mi iglesia tenían un lema: «Id por todo el mundo y sacad fotografías».

Antes de ir al Oriente, nos dijeron —como le dicen a todos los viajeros:

—Por favor, tomen fotografías.

Y así lo hicimos, y después de regresar se las enseñamos a las personas.

—Ahora —le dije a Jeanne—, vamos al Paso Dos.

Después del siguiente servicio del domingo por la noche, invitamos a nuestro hogar a tres médicos de nuestra iglesia. Allí en nuestro hogar comencé a enseñarles las fotografías.

—Está es una clínica en un área remota donde viven las tribus.

—¿Cómo comenzó esa clínica? —preguntaron.

—Por un profesor de cirugía de la Escuela de Medicina de Harvard , que un día salió y dijo: «Allá ustedes yo me voy a buscar la acción».

Continué:

—Esta otra fotografía es la farmacia.

Estaban mirando el interior de la farmacia, solo habían estantes vacíos.

—¿Esta es la farmacia? —preguntaron ellos—. ¿Dónde están las medicinas?

—No lo sé. Así son las farmacias allá.

—Un momento —dijo uno de ellos—, ¿cómo se puede tener una farmacia sin

medicinas?

—No sé. Pero eso es lo que tienen.

Pasé a la próxima fotografía. Y así continuamos viendo las demás fotos, pero tan pronto terminamos la primera pregunta fue:

—¿Pero cómo se puede tener una farmacia sin medicinas?

Desde esa noche, estos médicos y varias otras personas han enviado millones de dólares en productos farmacéuticos a lugares alrededor del mundo donde hacen falta. ¿Cómo se comprometieron con esto? De la misma forma que usted, como maestro, puede capturar a cualquiera: Una vez que conozca a los estudiantes, déjelos que ellos lo conozcan a usted, y entonces construya creativamente sobre esa base.

Y ya que Dios motiva a las personas en formas diferentes, también nosotros necesitamos ser creativos y usar una variedad de métodos.

He tenido el privilegio de enseñar a estudiantes de secundaria y a adultos de todas las edades. He enseñado a profesionales y a personas pobres. He enseñado a grupos de hombres y de mujeres. He enseñado a médicos y abogados, y también a niños. Y cada uno de estos grupos trae al aula un juego diferente de habilidades e intereses que se pueden aprovechar creativamente.

Piense en los adolescentes, por ejemplo. «No conseguimos entusiasmar a esos muchachos con respecto a la palabra de Dios», oigo decir. Pero yo no lo creo. El problema es que no estamos lo suficientemente dispuestos a poner nuestros ganchos creativos en las áreas de sus intereses y habilidades.

Condenamos lo que hacen y cómo lo hacen, en lugar de ayudarlos a desarrollar alternativas. A estas alturas ya debíamos haber aprendido a nunca *prohibir* sin además también *proveer*; no es suficiente decir: «No hagas esto» sin también decir: «*Puedes* hacer esto».

Tenemos iglesias, por ejemplo, que crucifican a los muchachos por la música que escuchan. Así que les digo a los adultos:

—¿Alguna vez han pensado en dejar que los muchachos tengan la oportunidad de usar su música?

Se quedan pasmados.

—¿Usted quiere decir en la IGLESIA?

—¿Qué cree que quise decir —en un espectáculo en el centro? Claro que tiene que ser en la iglesia.

He visto a muchachos pasarse horas estudiando un pasaje bíblico que los ayude a escribir una canción para usar en un ministerio.

Una de las cosas que más me molesta de la comunidad evangélica es nuestra tendencia para matar toda la creatividad. La creatividad está disponible, pero no estamos proporcionando oportunidades para que se manifieste.

Conozco a un joven, genio de la música, que dirigió la orquesta sinfónica local en una presentación de estreno cuando todavía era un adolescente, y en sus veintes sirvió como director invitado de la Filarmónica de New York. Este joven era producto de una iglesia evangélica de su ciudad; sin embargo, esa iglesia ni siquiera una vez usó sus habilidades musicales. En la actualidad está muy lejos de Jesucristo.

El poder desencadenado

Algunas personas me dicen que tienen que comprobar que la Biblia es la palabra de Dios antes de poder hacer un impacto en la evangelización. Creo que se están delatando. Ellos nunca han desencadenado el poder de ese Libro en la vida diaria,

dejándolo explotar, exponiéndolo para que todos vean los cambios radicales y sobrenaturales que puede ocasionar.

Una y otra vez me preguntan:

—¿Cómo puede usted motivar a una persona?

A lo que respondo:

—Si usted toca a alguien con 20,000 voltios de electricidad, esa persona no voltea para preguntarle: «¿Me dijo algo?» No, se *mueve*.

La pregunta clave es: ¿Está *usted* motivado?

Porque las personas motivadas se convierten en agentes de cambios.

En su libro *The Crisis in the University* [La crisis en la universidad], Sir Walter Moberly cita el problema de los evangélicos para penetrar los campos universitarios con el evangelio. A los que reclaman seguir a Cristo, él les dice: «Si una décima parte de lo que crees es cierto, debieras estar diez veces más entusiasmado de lo que estás».

Son tantas las personas en nuestras iglesias que nunca se han apasionado por lo único que realmente vale la pena apasionarse.

Entonces, si es apasionante... ¡apasiónese!

Para reflexionar

(Preguntas para su evaluación personal y para discusión con otros maestros).

1. ¿Qué resultado de su enseñanza, honestamente, espera usted en las vidas de sus estudiantes?

2. Piense otra vez acerca de su respuesta a la pregunta número uno. ¿Son estas expectativas demasiado altas, no suficientemente altas, o adecuadamente altas? Si algunas son demasiado altas o demasiado bajas —¿Como puede usted específicamente traerlas al plano de la realidad?

3. En cualquier momento en una clase típica que esté enseñando, ¿qué porcentaje de los alumnos presentes piensa usted que está *altamente motivado* para aprender de usted?

4. ¿Por qué señales se guiaría para saber si sus alumnos están aburridos?

Muchos maestros van a su trabajo parcialmente preparados o sin ninguna preparación. Son como mensajeros sin un mensaje. Les falta todo el poder y el entusiasmo necesarios para producir los frutos que tenemos el derecho de recibir como producto de sus esfuerzos.

—John Milton Gregory

CAPÍTULO 7

LA LEY DE LA PREPARACIÓN

Antes de la carrera, los corredores calientan sus músculos. Antes del concierto, la orquesta afina sus instrumentos.

Y de la misma forma es necesaria una preparación por parte del estudiante como del maestro.

La ley de la preparación es esta: *El proceso de enseñanza-aprendizaje será más eficaz si tanto los estudiantes como el maestro están adecuadamente preparados.* Esto resalta uno de los grandes problemas para los maestros: Los estudiantes llegan *fríos* a la clase.

Supongamos que usted está enseñando el libro de Isaías a una clase de adultos de la escuela dominical. Un cierto domingo, ocurre un milagro: Esta mañana usted tendrá sesenta minutos completos para realizar la enseñanza (principalmente porque han eliminado las «actividades de preparación» —terminología fascinante ya que la mayoría de estas preparan poco y activan mucho menos).

Así que tienen por delante una buena hora, y usted comienza diciendo: «Por favor, abramos la Biblia en Isaías 27». Inmediatamente ellos están pensando:

¿De qué trata Isaías 27?

¡Quién sabe!

Y peor aún: *¡A quién le importa!*

Pero usted es un maestro competente, y está totalmente convencido del valor del mensaje de Isaías 27 para nuestras vidas contemporáneas. Usted cree que este capítulo es un pasaje que no solamente se debe dominar, sino que debe dominarlo a uno.

Poco a poco la clase comienza a sentirse cómoda con Isaías 27. Por cierto, a medida que la hora ya está llegando a su fin, a la clase le empieza a ocurrir preguntas. El pasaje que usted ha explorado ha tocado varias necesidades y problemas en la vida de ellos. Usted ha despertado un profundo interés.

Pero se fue el tiempo.

Se terminó la clase.

La próxima semana usted llega y dice: «Por favor, abramos la Biblia en Isaías 28».

¿De qué trata Isaías 28?

¡Quién sabe!

¡A quién le importa!

De esta misma manera juntos recorren todo el libro.

Quiero proponerle un método alternativo que le permitirá invertir el tiempo de la mejor manera durante esa hora: No piense en el principio de esa hora de clase como el punto de partida para crear interés en su tema. En su lugar, adelante el punto de comienzo... para que de esa forma, a la hora que se reúnan, usted siga desarrollando el impulso ya creado. Y cuando lleguen al final de la clase, los estudiantes habrán encontrado respuestas a sus preguntas y soluciones a los problemas, y estarán motivados para seguir estudiando el pasaje por su cuenta o con otros.

Tareas exitosas

Esta Ley de la preparación provee las bases filosóficas para... las *tareas*. Con solo mencionar la palabra, tal vez usted sienta un poco de paranoia: «¡Pero hermano Hendricks, usted no conoce a mis estudiantes! ¡Ellos no harán la tarea! Eso es una pérdida de tiempo».

Le puedo garantizar que mientras usted no les dé una tarea, los estudiantes no la harán. Pero, ¿por qué no prueba con algunas tareas? Y permítame ayudarlo un poco.

Vuelva a pensar en una situación típica de la clase: *Usted* está completamente preparado, habiendo empapado bien su mente con cierto pasaje de las Escrituras. *Ellos*, o por lo menos la mayoría, ni siquiera han leído el pasaje una vez durante los últimos seis meses. *Usted* viene con entusiasmo porque en ese pasaje encontró respuestas a las preguntas y soluciones a los problemas. *Ellos* llegan sin nada.

Suele suceder lo mismo con el sermón del domingo por la mañana, y a mi juicio esta es la mayor debilidad en relación con la predicación: Hay muy poco que prepare a los oyentes para la misma y aun menos que le dé seguimiento.

Así que piense brevemente respecto al valor de las tareas. Yo veo tres beneficios en particular:

1. *Provocan la reflexión.* Las tareas son la preparación mental. Precalientan la mente para que esté trabajando antes de que comience la lección.
2. *Proveen un contexto,* un fundamento sobre el cual edificar. El estudiante llega consciente de los problemas y asuntos concernientes al pasaje y cómo este se relaciona con su vida. Las preguntas ya han salido a relucir. La curiosidad ha aumentado.
3. *Desarrollan hábitos para el estudio independiente* —este es el beneficio más importante de las buenas tareas. Motivan a las personas a no solo recibir enseñanza de la Palabra de Dios, sino a estudiarla por sí mismos. Y entonces observe qué pasa una vez que ellos hagan esto.

Recuerde, su meta como maestro es desarrollar estudiantes para toda la vida. Su tiempo de enseñanza debe ser un estímulo, no un sustituto. Y de la única manera que usted podrá entusiasmar a las personas por la Palabra de Dios es motivándolas para que experimenten esta realidad de primera mano.

¿Cuáles son las características de las buenas tareas?

Primero: Deben ser creativas, no sencillamente un trabajo inútil. Eso quiere decir que necesita un objetivo claro para las tareas, deben ser diseñadas con un propósito. Esto toma mucho tiempo de preparación, porque las tareas creativas no aparecen por arte de magia.

Segundo: Deben estimular el pensamiento. Deben cuestionar más respuestas que responder más preguntas. Desafíe la mente de los estudiantes. Sé que pensar es doloroso, pero también puede ser provechoso si está bajo la dirección del Espíritu de Dios.

Tercero: Las tareas deben ser realizables. No amontone una carga poco realista.

Pero si ha hecho todo lo posible para dar tareas que sean creativas, que provoquen el pensamiento y que sean realizables, ¿qué hará en la clase si —por cualquier razón— los estudiantes no la hacen?

Una solución sencilla: Haga una tarea en la clase, allí y en ese mismo momento. Escriba una pregunta estimuladora en la pizarra, y entonces pídales que lean un pasaje que ya usted seleccionó y que sirva para iluminarla. (Asegúrese de seguir este orden —primero haga la pregunta y entonces instrúyales a que lean el pasaje — a fin de que ellos sepan qué buscar.)

Otro método: Aprovéchese de sus experiencias. Pregunte qué problemas están encarando ahora en su hogar, en el trabajo, en la escuela. Probé esto en una clase de matrimonios acerca de la cual me advirtieron:

—Estas personas no hablarán en la clase, ni tampoco harán tareas. No, no, no.

—Gracias por la información —les dije.

Entonces llevé un bloque de tarjetas de tres por cinco pulgadas a la primera clase que enseñé, las repartí y dije:

—¿Saben algo? Tengo mucha confianza en ustedes. Sé que proceden de una variedad de trasfondos, están involucrados en varios negocios y actividades y demás. Así que quiero que tomen una de estas tarjetas —pero no escriban su nombre— y escriban su respuesta a esta pregunta: Si ustedes supieran que ahora mismo pudieran obtener respuestas a cualquier preocupación que tienen en la vida, no importa la que sea, ¿cuáles tres preferirían que se les contestaran? ¿Qué tres cosas están realmente trastornando su vida?

Emplearon unos minutos escribiendo, luego pasaron las tarjetas al frente, y yo comencé a leer algunas. Muy pronto alguien dijo:

—Esa es la clase de tema del que deberíamos estar hablando aquí. No pasó mucho tiempo antes de que fuera un problema acallar los comentarios.

Una vez un individuo dijo en la clase: «No sé si este es el lugar adecuado para hablar de esto... pero quiero ser honesto con usted, mi esposa y yo nos sentamos el jueves por la noche y dijimos que si no podemos arreglar nuestro matrimonio nos tendremos que separar». Ese es la clase de comentario que sacude las vigas. Una vez más nuestra discusión cobró impulso.

Después de todo, si las personas no pueden hablar de estas cosas en nuestra clase de escuela dominical y en el grupo de estudio bíblico, entonces ¿en dónde hablarán de ellas?

Interesantemente los estudios han demostrado que existe una correlación directa entre lo *predecible* y el *impacto*. Mientras más fácil sea predecir lo que usted va a hacer, más bajo será el impacto. Por otra parte, mientras más difícil sea predecirlo, más alto será su impacto. (Por favor, note que esto tiene que ver con su metodología, no con su comportamiento moral.)

La ilustración clásica es la vida de Jesucristo. Nunca podían descifrarlo.

Un día se reunieron los herodianos y los fariseos —hombres que nunca estaban de acuerdo en nada. Nunca los sorprenderían juntos en el mismo lado de la calle, excepto cuando tuviesen un enemigo en común. Pero debido a este Jesús problemático, se pusieron de acuerdo y dijeron:

—Ataquémoslo con el problema de los impuestos. Después de todo, los herodianos somos pro-Roma y los fariseos anti-Roma. Así que le haremos una pregunta al respecto. Si dice que está de acuerdo con los impuestos, *nosotros* lo crucificaremos. Si dice que está en contra, *ustedes* lo harán. Vamos.

Encontraron a Jesús y le dijeron:

—Maestro, ¿nos es lícito dar tributo a César, o no?

—¿Tienes una moneda? les preguntó Jesús.

—¿Una moneda? Sí, seguro, aquí está. —Y le entregaron una moneda.

—¿De quién tiene la imagen y la inscripción?

—Ahhh... de César.

—Pues dad a César lo que es de César, y a Dios lo que es de Dios.

Pasmados, se fueron y en silencio se reagruparon a un lado. Finalmente alguien habló: —Y por cierto, ¿quién fue él que formuló esa pregunta tonta?

Jesús era demasiado impredecible para ser aburrido.

Es tan doloroso entrar en tantas de nuestras iglesias, clases de escuela dominical y grupos de estudio bíblico —son tan predecibles que uno se puede dormir—, despertarse diez minutos después y encontrarlos exactamente donde uno esperaba que estuviesen.

Es como lo que dijo el Arzobispo de Inglaterra: «A dondequiera que fue el apóstol Pablo, hubo un disturbio o un avivamiento. A dondequiera que yo voy, me sirven té.»

¿Y qué hacen donde usted va?

La lucha contra el silencio

¿Alguna vez ha observado la cara de su perro después de hacerle una pregunta seria? Esa es la clase de reacción que a menudo tengo en una clase cuando por primera vez les hago una pregunta: Solo unas miradas silenciosas de cachorritos.

Entonces pienso: *Tal vez no la entendieron* y hago la pregunta en una forma diferente, y obtengo la misma respuesta. Hasta he tenido a alguien que me ha dicho:

—Nosotros no hablamos aquí; usted es el profesional, usted díganos.

A lo que respondo:

—Pero ustedes son los profesionales en cómo vivir. Yo tengo confianza en ustedes, y espero que hablen aquí y me digan lo que piensan. Si tienen alguna inquietud, quiero escucharla.

Vuelvo a hacer la pregunta y no digo nada más. Están mortalmente conscientes del silencio. Algunos toserán. Pero soy muy paciente, puedo esperar tanto como ellos.

Por fin alguien dice: «Está bien, le diré lo que pienso. Quizás no sea correcto, pero creo que...» La barrera se ha roto.

Por mis años de observación sé que el adulto promedio —ya sea abogado, atleta profesional, obrero de factoría, o lo que sea (les he enseñado a todos ellos, y es válido para cada uno)— tiene un nivel muy bajo de autoconfianza en el uso y comprensión de las Escrituras, y por lo tanto le falta confianza para hablar en la clase. ¿Qué podemos hacer al respecto?

Al principio de mi ministerio con el equipo de fútbol americano, los *Dallas Cowboys*, les dije:

—Hombres, vamos a aprender cómo estudiar la Biblia.

La respuesta fue divertidísima de ver y escuchar.

—Muchas gracias, profe, pero usted no comprende —dijeron— . Somos jugadores de fútbol.

Uno de los *quarterbacks* insistió en que los bloqueadores eran analfabetos. Sin embargo, los llevé a las Escrituras y los ayudé a aprender qué buscar. Cada vez que lo encontraban, no importaba lo elemental que fuera, yo saltaba hasta el techo de entusiasmo.

En efecto, esa es la clave para el estudio de la Biblia: Enseñarles a las personas qué buscar, para que entonces ellos lo pueden encontrar.

Si las personas tienen confianza en usted, su tarea es valerse de ella para transferírsela a fin de que ahora ellos confíen en sí mismos. Y mientras más confianza tengan en usted, mayor será su potencial para desarrollar esa autoconfianza en ellos.

No es fácil, porque algunas de estas personas han estado sentadas en esos bancos por años. Se ha calcificado su manera de pensar.

Cuando las personas temen participar en la clase, uno de los mejores métodos es sencillamente (1) animarlos a participar y (2) darles crédito cuando lo hacen.

Con frecuencia digo: «Ustedes deben entender que la única pregunta tonta en esta clase es la que no se hace. Porque es como una astilla que no ha sido removida: Se infectará. Así que aquí no nos reiremos de ninguna pregunta o comentario que se haga. Los tomaremos en serio».

Entonces, cuando alguien hace una contribución, digo: «¡Fantástico, gracias!» O, «Creo que en todos los años en que he estado estudiando la Biblia, nunca había visto eso en este pasaje. ¡Que bueno, gracias!» O: «Esa es una de las preguntas más profundas que he escuchado acerca de este pasaje». Usted *celebre* lo que le digan. Haga un héroe de cualquiera que contribuya.

Y entonces, un día cuando alguno de la clase diga: «Tal vez esta sea una pregunta tonta, pero hace tiempo que quería hacerla ...» le habrán hecho uno de los mejores elogios posibles. Usted ha creado un ambiente en el cual alguien se siente libre para hacer la pregunta que ha temido hacer.

Cómo responder a preguntas difíciles

¿Qué hace usted si le hacen una pregunta que no sabe contestar?

Su respuesta es importante porque el lema de muchos en la clase es: «Mejor es mantener la boca cerrada y dejar que otros piensen que soy un tonto, que abrirla y quitar toda duda». Entonces pruebe diciendo algo así: «¡Esa es una magnífica pregunta, gracias! No tengo la respuesta, pero trataré de encontrarla».

Tal vez usted recuerde algún maestro, quizás en la universidad, que respondiera a las preguntas de los estudiantes con un susurro: «Bueno... quién sabe... por consecuencia... eso podría ser... la mayoría de los eruditos pensarían que...» y así sucesivamente, y a esas alturas ya usted estaba pensando: *«Este no sabe la respuesta»*.

El mejor profesor que tuve era una de las autoridades más reconocidas en Nuevo Testamento. Un día en la clase un estudiante le hizo una pregunta, y él contestó: «Joven, esa es la pregunta más perspicaz que me han hecho en los treinta y seis años que llevo enseñando, y no te la puedo responder porque mi respuesta sería muy superficial. Pero la estudiaré y volveré con una respuesta. ¿Alguna otra buena pregunta como esta?»

Así que no tiene que engañar a nadie. Nunca le dé vergüenza decir: «No sé».

¿Y cómo manejamos las preguntas que son amenazadoras? Creo que el punto fuerte de los grupos que son más eficaces en alcanzar a los no cristianos es que se sienten cómodos ante preguntas amenazadoras, y no se ponen a la defensiva.

Una vez yo estaba dirigiendo una clase de Biblia diseñada para no creyentes y estábamos estudiando el Evangelio de Marcos cuando un hombre levantó la mano y me preguntó:

—¿Usted no quiere decir que Jesucristo es Dios, verdad?

¿Cuál sería la reacción a esa clase de pregunta en una iglesia promedio? Es una respuesta muy importante: está en juego la salvación eterna de alguien.

Respondí:

—Juan, esa es una increíble pregunta, central para el asunto que estamos comentando. Realmente encara el tema del cual estamos hablando. ¿Todos oyeron lo que Juan preguntó? Juan, ¿te puedo pedir que la repitas?

Es muy interesante que al seguir usted con la discusión, después de haber usado este método, un individuo como Juan quizás ni siquiera oirá las respuestas que se ofrecen, pero sin duda alguna él ha detectado su actitud, y usted se lo ha ganado.

Sin embargo, si lo avergüenza en su silla, esa será la última pregunta que él hará, y hasta es posible que sea la última vez que lo vea en la clase.

Controle a los que dominan los comentarios

¿Qué hace usted si alguien está dominando los comentarios de la clase, y es tan difícil de callar como sería extinguir las Cataratas del Niágara?

Permítame darle un plan de tres pasos:

Primero, exprese aprecio por su contribución. Dígale en privado: «Quiero que sepas que aprecio profundamente tu interés en esta clase. Si yo pudiera hacer que todos estuvieran tan interesados como tú, habría logrado una gran meta como maestro». Quizás nadie le haya dicho eso a él antes. La mayoría de las personas le dan esas miradas que dicen: «¿Por qué no te callas de una vez?» Por cierto, esto no significa que él las haya obedecido, pero sí que las haya recibido.

Segundo, pídale que le haga un favor: «¿Te has dado cuenta de que muchas de las personas de la clase no participan en la discusión? ¿Me podrías ayudar para hacer que esas personas participen más? Solo contrólate un poco, ayúdame con esto, y vamos a ver si entre tú y yo podemos hacer que el resto de la clase participe tanto como tú». Este método por lo general tiene un efecto fascinante.

Por último, durante la clase, diríjase a *él* y hágale una pregunta. Es posible que esa sea la primera vez en la historia que eso suceda —y le comunicará con claridad inequívoca y a la vista de todos que usted sinceramente aprecia lo que él tenga que decir.

Una vez hice esto con una persona que dominaba la clase, y se quedó boquiabierta. —¡Cómo!... ¿usted quiere que *yo* responda?

Al final me dijo:

—Me parece que he sido un poco odioso.

—¿De veras? ¿Qué te hace creer eso?

—Bueno —dijo—, indirectamente las personas le hacen saber a uno las cosas. Pero solo quiero agradecerle por querer saber lo que yo tenía que decir. Nadie había hecho eso por mí jamás.

Así que en lugar de acallarlo, lo gané para mi equipo.

Eso es lo que queremos hacer. Enseñar es divertido si capta la perspectiva correcta de lo que está haciendo: Gáneselos.

Un estudiante me dijo una vez que había decidido que un día se casaría.

—Bueno —le dije—, eso es alentador, y pensé: *esto indica progreso.* ¿Sabes qué clase de mujer estás buscando? —le pregunté.

Sacó tres hojas de papel escritas a máquina con las especificaciones.

—Veo que has estado pensando en esto —le dije—. ¿Sabes una cosa? Estoy escribiendo un libro sobre el matrimonio. ¿Te importaría prestarme tu lista?

Casi se quedó sin habla:

—Oh, no, claro que sí, profe! Haré cualquier cosa que pueda para ayudarlo. Y así me lo gané.

Después miré su lista y le hice una pregunta:

—¿Cuántas de estas normas cumples *tú*?

Desarrolle personas que sepan tomar notas

Por último, reconozca que la mayoría de las personas no saben cómo tomar notas en las clases, ni entienden el valor de hacerlo. Si no lo cree, recoja la hoja de papel que dejan atrás cuando termina la clase. Hago esto con regularidad cuando voy a una iglesia a hablar —es hacer un poco el trabajo de conserje y aunque no sea parte de mi contrato, lo considero muy interesante. Si usé una ilustración acerca de un perro esquimal, encontraré una hoja de papel que tenga escrita solamente la palabra «perro». Quizás la escribió la misma dama que me saludó a la puerta después del mensaje y me dijo: «¿Sabe algo? Yo también tuve un perro esquimal».

Usted puede ayudar a las personas a que sean mejores en la toma de notas al proveerles un bosquejo básico del contenido de cada lección. A medida que las semanas transcurren usted puede proveerles de notas con cada vez menos detalles a fin de que ellos por sí mismos comiencen a llenarlas con información. Pronto llegarán al punto en el cual no escriban sencillamente la palabra «perro», sino lo que enseña la ilustración acerca del perro. De esta manera, gradualmente les entrenará a escuchar con inteligencia.

Una vez enseñé una clase de Biblia en Dallas para hombres profesionales, uno de los cuales era graduado del *Massachusetts Institute of Technology* [Instituto de Tecnología de Massachusetts] —un hombre con varios títulos de alto nivel, muy articulado y muy buscado como consultor. No carecía de materia gris.

Sin embargo, tenía la costumbre de llegar a la clase, sentarse, y escuchar con sus ojos abiertos, pero con las manos cruzadas.

En una clase de la noche, durante un receso para tomar café, le dije:

—Entiendo que usted asistió al *MIT*.

—Correcto.

—¿Lo disfrutó?

—Ah, fue muy estimulante.

—¿Tomó algunas notas allí?

—¿Quiere decir en el *MIT?*

—Sí.

—Claro que sí, por montones.

—¿Les son útiles?

—Oh, de mucha ayuda. Esas notas representan mi pan diario, mi salvavidas.

—¡Qué bien! ¿Y no se le ha ocurrido tomar notas aquí también?

—¿Aquí? ¿Aquí en la clase de Biblia?

—Sí.

—No, —me dijo—. No lo pensé. Pero es una buena idea.

—A mí también me pareció buena idea.

La próxima vez llegó con un sujetapapeles y tomó notas. No había pasado ni una hora cuando se puso de pie y dijo:

—Oye, Hendricks. Tengo una pregunta.

Y desde entonces no ha dejado de hacer preguntas. Súbitamente fue lanzado desde la periferia del proceso del aprendizaje al mismo corazón. Él aprendió a relacionar la verdad bíblica a su profesión y a su vida, y está muy, muy lleno de vida.

Para reflexionar

(Preguntas para su evaluación personal y para discusión con otros maestros).

1. ¿Qué pasos toma usted usualmente en la preparación de cada clase que enseña? ¿Cuáles de estos pasos le son de más ayuda? ¿Cuáles, si los hay, son de poca ayuda?

2. ¿Cree usted que pueda tener algún problema por ser demasiado predecible en su enseñanza, y por tanto de menos impacto?

Escriba una lista de por lo menos media docena de actividades educativas —apropiadas a su clase— que sean drásticamente diferentes en estilo y procedimiento de las que usted normalmente hace como maestro. Escríbalas aun cuando no esté convencido de que serán efectivas. Entonces escoja las mejores y practíquelas.

3. Cuando usted ha estado bajo la enseñanza de otra persona y ha deseado tomar notas de lo que ella dijo—¿qué fue exactamente lo que le impulsó a hacerlo?

4. ¿Qué piensa usted sería su mejor respuesta como maestro de una clase de adultos en la escuela dominical en cada una de las siguientes situaciones:
   a. Dos miembros de su clase con personalidades fuertes, están vigorosamente defendiendo sus posiciones opuestas en un asunto doctrinal de menor importancia relacionado con el tópico de su lección. De repente usted se da cuenta de que por los últimos diez minutos por lo menos, las únicas personas en el aula que han participado en la discusión son usted y estas otras dos personas —aunque todos los demás parecen estar disfrutando del encuentro.

   b. Mientras usted preparaba su lección la semana pasada, encontró una copia de un excelente libro ya fuera de publicación, sobre el tema que usted planea enseñar hoy. Del contenido del libro usted copia dos páginas de una lista de ayudas con algunas sugerencias muy útiles, y planea pasar buena parte del tiempo de la clase hablando sobre esto. Pero cuando llega a la iglesia esa mañana (un poco tarde) descubre que la fotocopiadora de la iglesia no funciona. Su clase comienza en dos minutos, tiene solo cuatro copias originales de la valiosa lista —y los miembros de la clase no han adquirido el hábito de traer pluma y papel, y mucho menos de tomar notas.

c. Una mujer que visita su clase por primera vez —la cual, que usted sepa, no conoce a nadie en la clase— de repente comienza a llorar a mitad de la lección.

d. Dos personas en la clase han completado la tarea que usted les asignó la semana pasada y están ansiosas de hacer uso de lo que han preparado y discutir preguntas más profundas que han venido a sus mentes y vidas durante la semana. Las otras siete personas presentes hoy, han hecho muy poco o nada de la tarea asignada (por razones justificadas), pero sin embargo están bien interesadas en aprender más sobre el tema de la lección.

e. Un miembro de su clase, obviamente preocupado, interrumpe la lección de hoy para decir que está cargado por algo y se siente forzado a decirlo. Él dice que un problema está amargando una amistad de muchos años con otro miembro de la clase (que está presente, y de repente se pone rojo al escuchar esto), porque este ha rehusado en privado llegar a una reconciliación.

5. Mire la lista de repaso de las Siete Leyes del Maestro al final del libro. ¿Cuál de estas piensa usted practicar en su enseñanza más consistentemente? ¿Cuál merece la mayor atención y mejoramiento de su parte?

«Mas todo el que fuere perfeccionado, será como su maestro.»

—Lucas 6.40b

HAGA LA INVERSIÓN

Ahora hagamos un repaso final. A usted como maestro —para estimular su conocimiento, conmover sus sentimientos e incitarlo a la acción— le hemos presentado en este libro siete principios básicos:

La ley del ***M****aestro:*
Si deja de crecer hoy, dejará de enseñar mañana.

*La ley de la educ****A****ción:*
La manera en que las personas aprenden determina cómo usted enseña.

*La ley de la pr****E****paración:*
El proceso de enseñanza-aprendizaje será más eficaz si tanto los estudiantes como el maestro están adecuadamente preparados.

*La ley del e****S****tímulo:*
La enseñanza tiende a ser más eficaz cuando el estudiante está apropiadamente motivado.

*La ley de la ac****T****ividad:*
El máximo aprendizaje es siempre el resultado de la máxima participación.

*La ley del co****R****azón:*
La enseñanza que impacta no es de cabeza a cabeza, sino de corazón a corazón.

*La ley de la c****O****municación:*
La comunicación eficaz requiere la construcción de puentes.

Estas «leyes» son principios —principios básicos tejidos para siempre en la tela de la enseñanza eficaz. Cualquiera que sea la edad del grupo que usted enseña, o cualquiera sea el tema, o cualquiera sea la cultura en la que está participando, su comprensión y aplicación de estas leyes lo ayudarán a hacer una diferencia permanente en la vida de los demás.

Pero recuerde que estos realmente son *solo* principios. Cuando se trata de realizar sus propósitos, Dios no usa principios, usa personas.

Su éxito en su llamado como maestro eficaz no solo depende de su conocimiento de estas leyes, sino de *usted* como persona, y más estratégicamente de su receptividad al poder de Dios en su vida. La clave no es qué hace usted para Dios, sino qué le permite hacer a Él mediante usted. Dios quiere usarlo como su catalizador, y a medida que le permita realizar una transformación y renovación de su pensamiento, usted estará listo para que Él lo utilice.

Por tanto, ¿está usted dispuesto a permitir que Dios lo cambie para que a su vez usted pueda realmente impactar a otros? Esa disposición —ese compromiso— bien pudiera ser el paso más grande para su éxito en la enseñanza.

Un misionero veterano una vez describió a los cristianos de Europa oriental como ricos en compromiso y pobres en contenido, y a los creyentes occidentales como ricos en contenido y pobres en compromiso. Muchos de nosotros en la iglesia de occidente estamos adquiriendo poco a poco una postura de hombros caídos y cabeza baja debido a una deficiencia de compromiso.

Así que la pregunta que persiste es: ¿Estamos dispuestos a pagar el precio para desarrollarnos? Hay, después de todo, un precio que pagar. La enseñanza eficaz no está disponible en ninguna oferta de baratijas.

Si tiene los hechos a la vista, yo sé que seguirá adelante y gustosamente pagará el precio. La emoción y realización que provienen de la enseñanza eficaz es demasiado satisfactoria para desecharla en favor de una vida limitada y metas que no desafíen.

Y a medida que continúe invirtiendo su vida en otros, confío en que usted acudirá a este libro como una guía auxiliar para convertir la teoría en conducta —el motivo preciso para el que fue diseñado.

Guía de Estudio

ENSEÑANDO PARA CAMBIAR VIDAS

Howard Hendricks

Guía preparada por la
Facultad Latinoamericana de Estudios Teológicos

Contenido

Cómo obtener un curso acreditado por FLET

Si el estudiante desea recibir crédito por este curso, debe:

1. Llenar la solicitud de ingreso.
2. Proveer una carta de referencia de su pastor o un líder cristiano reconocido.
3. Pagar el costo correspondiente. (Ver «Política financiera» en el Catálogo académico.)
4. Enviar a la oficina de FLET o entregar al representante de FLET autorizado, una copia de su diploma, certificado de notas o algún documento que compruebe que haya terminado los doce años de la enseñanza secundaria (o educación media).
5. Hacer todas las tareas indicadas en esta guía.

Nota: Ver «Requisitos de admisión» en el Catálogo académico para más información.

Cómo hacer el estudio

Cada libro describe el método de estudios ofrecido por esta institución. Siga cada paso con cuidado. Una persona puede hacer el curso individualmente, o se puede unir con otros miembros de la iglesia que también deseen estudiar.

En forma individual:

Si el estudiante hace el curso como individuo, se comunicará directamente con la oficina de la Universidad FLET. El alumno enviará todas sus tareas a esta oficina, y recibirá toda comunicación directamente de ella. El texto mismo servirá como «profesor» para el curso, pero el alumno podrá dirigirse a la oficina para hacer consultas. El estudiante deberá tener a un pastor o monitor autorizado por FLET quien se encargará de tomar el examen final y enviarlo a la oficina de la Universidad FLET. (Sugerimos que el monitor sea la misma persona que firmó la carta de recomendación).

En forma grupal:

Si el estudiante hace el curso en grupo, se nombrará un «facilitador» (monitor, guía) que se comunicará con la oficina de FLET. Por tanto, los alumnos se comunicarán con el facilitador, en vez de comunicarse directamente con la oficina de FLET. El grupo puede escoger su propio facilitador, o el pastor puede seleccionar a uno del grupo que cumpla con los requisitos necesarios para ser guía o consejero, o los estudiantes pueden desempeñar este rol por turno. Sería aconsejable que la iglesia tenga varios grupos de estudio y que el pastor sirva de facilitador de uno de los grupos; cuando el pastor se involucra, su ejemplo anima a la congregación entera y él mismo se hace partícipe del proceso de aprendizaje.

Estos grupos han de reunirse una vez por semana en la iglesia bajo la supervisión del facilitador para que juntos puedan cumplir con los requisitos de estudio (los detalles se encontrarán en las próximas páginas). Recomendamos que los grupos (o «peñas») sean compuestos de 5 a no más de 10 personas.

El facilitador seguirá el «Manual para el facilitador» que se encuentra al final del libro. El texto sirve como «profesor», mientras que el facilitador sirve de coordinador que asegura que el trabajo se haga correctamente.

Nota: Tanto el alumno que estudia individualmente como el que estudia en grupo, son los responsables de entregar sus tareas en las fechas establecidas.

Cómo establecer un seminario en su iglesia

Para desarrollar un programa de estudios en su iglesia, usando los cursos ofrecidos por la Universidad FLET, se recomienda que la iglesia nombre un comité o un Director de Educación Cristiana. Luego, se deberá escribir a Miami para solicitar el catálogo ofrecido gratuitamente por FLET.

El catálogo contiene:

1. La lista de los cursos ofrecidos, junto con programas y ofertas especiales.
2. La acreditación que la Universidad FLET ofrece.
3. La manera de afiliarse a FLET para establecer un seminario en su iglesia.

Luego de estudiar el catálogo y el programa de estudios ofrecidos por FLET, el comité o el director podrá hacer sus recomendaciones al pastor y a los líderes de la iglesia para el establecimiento de un seminario o instituto bíblico acreditado por FLET.

Universidad FLET
14540 SW 136 Street No 200
Miami, FL 33186
Teléfono: (305) 232-5880
Fax: (305) 232-3592
e-mail: admisiones@flet.edu
Página web: www.flet.edu

El plan de enseñanza FLET

El proceso educacional debe ser disfrutado, no soportado. Por lo tanto no debe convertirse en un ejercicio legalista. A su vez, debe establecer metas. Llene los siguientes espacios:

Anote su meta diaria: ______________________
Hora de estudio: ______________________
Día de la reunión: ______________________
Lugar de la reunión: ______________________

Opciones para realizar el curso

Este curso se puede realizar de tres maneras. El alumno puede escoger el plan intensivo con el cual puede completar sus estudios y el examen final en un mes. Si desea hacer el curso a un paso más cómodo lo puede realizar en el espacio de dos meses (tiempo recomendado para aquellos que no tienen prisa). Otra opción es hacer el estudio con el plan extendido, en el cual se completan los estudios y el examen final en tres meses. Las diversas opciones se conforman de la siguiente manera:

Plan intensivo: un mes (4 sesiones)	*Fecha de reunión*
Primera semana: Lecciones 1-2	__________
Segunda semana: Lecciones 3-4	__________
Tercera semana: Lecciones 5-6	__________
Cuarta semana: Lecciones 7-8, y Examen final de FLET	__________

Plan regular: dos meses (8 sesiones)	*Fecha de reunión*
Primera semana: Lección 1	__________
Segunda semana: Lección 2	__________

Tercera semana: Lección 3 ____________
Cuarta semana: Lección 4 ____________
Quinta semana: Lección 5 ____________
Sexta semana: Lección 6 ____________
Séptima semana: Lección 7 ____________
Octava semana: Lección 8, y
Examen final ____________

Plan extendido: tres meses (3 sesiones) *Fecha de reunión*
Primer mes: Lecciones 1-3 ____________
Segundo mes: Lecciones 4-6 ____________
Tercer mes: Lecciones 7-8, y
Examen final ____________

Descripción del curso

Introducción a la filosofía, principios y metodología de la enseñanza de la Biblia. Se da énfasis al adiestramiento bíblico y académico del maestro y a la aplicación de los conocimientos pedagógicos.

Metas

1. (Cognitiva) El estudiante conocerá los principios de la buena enseñanza.
2. (Afectiva) El estudiante se preocupará por la excelencia en su práctica de enseñar.
3. (Volitiva) El estudiante utilizará los principios de la buena enseñanza.

Objetivo

El estudiante enseñará una clase dominical para la capacitación de maestros y obreros del programa educativo de la iglesia en la cual explicará las Siete leyes del maestro.

Tareas

Las tareas están diseñadas para aumentar el conocimiento del alumno en los principios fundamentales acerca de la enseñanza. El estudiante hará las siguientes tareas a fin de demostrar que ha realizado las metas y los objetivos descritos anteriormente:

1. Leerá el texto ***Enseñando para cambiar vidas*** por Howard G. Hendricks. El estudiante debe reportar que ha leído el libro *completo*. Además, el alumno completará 500 páginas de lectura adicional en el área de bibliología (doctrina de la Biblia). El estudiante debe elaborar un registro de lecturas (en *una* página por cada texto) que detalle el título del texto, el autor, y la cantidad de páginas que leyó de dicho texto. También debe incluir breves evaluaciones u observaciones acerca del mismo (enseñanzas provechosas, áreas de acuerdo y desacuerdo, preguntas que salieron a relucir). El alumno puede seleccionar sus lecturas de la lista de libros sugeridos.

2. El estudiante preparará y enseñará una clase dominical en la cual expondrá las Siete leyes del maestro en sus propias palabras y con ilustraciones originales. Dicha clase debe ser enseñada en conexión con la iglesia local (escuela dominical, reunión en hogares, conferencia, estudio bíblico). El estudiante deberá elaborar una descripción detallada de la clase dominical que debe incluir:

   - Un bosquejo que especifique los puntos, ilustraciones, y transiciones.
   - Una introducción y una conclusión.
   - Enumeración de tareas y/o ejercicios.

Además, como parte de esta tarea, se llevará a cabo una evaluación por parte de los alumnos que asistan a la lección. El estudiante deberá ser evaluado por un mínimo de cinco oyentes (compuestos de los compañeros del grupo de estudio y/o personas adicionales). Uno de los evaluadores deberá ser el pastor de su iglesia u otro líder. Los evaluadores deberán emplear la hoja de evaluación que se encuentra en la página siguiente, la cual el estudiante les entregará antes de dar inicio a su clase.

Nota: Además de la descripción escrita de la clase presentada y las evaluaciones que el estudiante enviará a la sede de FLET, el estudiante puede enviar un video o casete de la clase si así lo desea.

3. El estudiante completará las tareas detalladas en la Guía de estudio (véanse las lecciones respectivas). Después de haber completado la lectura apropiada para la lección y contestado las Diez preguntas, el alumno completará la siguiente tarea:

a. Tres preguntas propias por lección: Esta porción de la tarea se relaciona a la lectura del alumno y su interacción con las Diez preguntas. El estudiante debe escribir tres *preguntas propias* concernientes a la lección (y que no han sido tratadas o desarrolladas ampliamente por el autor). Estas preguntas deben representar aquellas dudas, observaciones, o desacuerdos que surgen en la mente del estudiante *a medida que vaya leyendo el texto de estudio* (o reflexionando después sobre el contenido del mismo). De manera que las preguntas deben, en su mayoría, salir a relucir na-

Evaluación de la clase dominical

Con respecto a la clase dominical:

a. ¿Fue precisa la instrucción? ¿Reflejó la enseñanza de las Escrituras? ¿Fue fiel a las fuentes citadas? ¿Demostró conocimiento del tema?

b. ¿Fue relevante la enseñanza? ¿Reflejó el nivel educacional de los oyentes? ¿Enseñó algo necesario para los alumnos? ¿Fue accesible en su vocabulario, expresión?

c. La enseñanza ¿fue clara? ¿fue sencilla? ¿fue lógica? ¿fue expresada de manera apropiada?

d. ¿Fue práctica? ¿Proveyó principios que pueden ser aplicados? ¿Desafió a los alumnos? ¿Fue placentera? ¿Motivó hacia la acción y estudios adicionales?

e. ¿Demostró aplicación de las siete leyes?

turalmente en la mente del alumno mientras lee y procesa la información en el texto. Se espera que el estudiante además comience a tratar de solucionar su pregunta o duda. Es decir, el estudiante debe hacer un esfuerzo en buscar la respuesta a la mismísima pregunta que se le ocurrió (por lo menos explorando alternativas o respuestas posibles). Este ejercicio ayudará al alumno a aprender a pensar por sí mismo y tener interacción con lo que lee. Así, se permite que el estudiante exprese desacuerdo con el autor mientras que explique la razón por la cual. Para cumplir con este requisito el estudiante debe escribir la pregunta y sus posibles respuestas de acuerdo a su propio proceso de razonamiento.

b. **Cuatro conceptos de los cuadros**: Esta parte de la tarea se relaciona a las cuatro gráficas con sus explicaciones provistas en cada lección. El estudiante escribirá una verdad aprendida de cada dibujo expresada *en una sola oración.* El propósito es asegurar que el estudiante está aprendiendo el contenido y cómo comunicarlo de manera precisa, concisa, y relevante.

c. **Tres principios**: Esta faceta se relaciona a la sección Expresión que aparece en cada lección. El estudiante redactará tres principios transferibles, es decir enseñanzas derivadas de la lección que sirvan de provecho y edificación tanto para el estudiante como también para otros. Estos principios o enseñanzas se deben expresar en forma concisa, esto es preferiblemente en *una* sola oración (ej: «El creyente debe defender la sana doctrina aun a gran costo personal»).

Nota: El estudiante recibirá 10 puntos por cada faceta que complete por lección. Es decir, cada pregunta, concepto, principio y el diario tienen un valor de 1,25 diez puntos de manera que el estudiante que completa todo lo que se pide recibirá una calificación de 100.

Nota: Todas las tareas descritas anteriormente deberán ser enviadas por el propio estudiante a la sede de la Universidad FLET en las siguientes fechas:

A mediados del curso, inmediatamente después de la cuarta lección, el estudiante enviará en documento electrónico a tareas@flet.edu:

- El reporte de lecturas, y las evaluaciones respectivas, de las primeras 250 páginas de la lectura adicional requerida.
- Las tareas detalladas de la Guía de estudio (tres preguntas, cuatro conceptos y tres principios) correspondientes a las lecciones 1—4.

A fines del curso, al término de la octava lección, el estudiante enviará en documento electrónico a tareas@flet.edu, o físicamente a la dirección de correo postal de la Universidad FLET:

- El reporte de lecturas, y las evaluaciones respectivas, de las 250 páginas restantes de la lectura adicional requerida.
- Las tareas detalladas de la Guía de estudio (tres preguntas, cuatro conceptos y tres principios) correspondientes a las lecciones 5—8.
- La descripción detallada y las evaluaciones de la clase dominical.

5. Aprobará un examen final que estará basado en el libro de texto *Enseñando para cambiar vidas* y las Diez preguntas y que evaluará los conocimientos adquiridos por parte del estudiante a lo largo del curso.
   Nota: Si el alumno estudia en forma individual, el examen final será tomado y enviado a la Universidad FLET por el monitor o supervisor. Si el alumno estudia en grupo, el examen final será tomado y enviado a la Universidad FLET por el facilitador.

Lista de libros sugeridos:

A continuación proveemos una lista de textos posibles para lectura y evaluación. El estudiante puede seleccionar las lecturas de esta lista y/o escoger libros similares.

[Nota: FLET no necesariamente comparte la opinión de los autores listados abajo.]

Edge, F.B. *Pedagogía fructífera.* Casa Bautista de Publicaciones, 1970 (Actualizada 1999).

Ford, LeRoy. *Modelos para el proceso de enseñanza-aprendizaje.* El Paso: Casa Bautista de publicaciones.

______. *Actividades dinámicas para el aprendizaje.* El Paso: Casa Bautista de publicaciones.

Gangel, Kenneth O. *Veinticuatro ideas para mejorar su enseñanza.* Puebla: Editoriales las Américas.

Gregory, J. M. *Las siete leyes de la enseñanza.* Editorial Mundo Hispano, 1961.

Pérez, Humberto. *El maestro y la forma de la verdad.* Editorial Caribe, 1995.

Towns, Elmer. *La escuela dominical dinámica.* Miami: Editorial Vida, 1991.

Willis, Wesley R. *Crecer como maestro.* Ediciones Crecimiento Cristiano.

_____. *La enseñanza eficaz.* Ediciones las Américas.

Zuck, Roy B. *Poder espiritual en la enseñanza.* Puebla: Ediciones las Américas.

Calificación
Trabajo principal (clase dominical): 35%
Lectura: 20%
Guía de estudio: 25%
Examen: 20%

Lección 1

Prefacio y
una pasión por comunicar

Metas

1. El estudiante conocerá los principios fundamentales de la buena enseñanza.
2. El estudiante tomará conciencia de la necesidad de la comunicación eficaz en la enseñanza.
3. El estudiante examinará las Siete leyes del maestro de manera integral.

Objetivo

El estudiante explorará las Siete leyes del maestro y utilizará los conocimientos adquiridos para la preparación de la clase de capacitación que presentará a los maestros y obreros del programa educativo de su iglesia.

Diez preguntas

1. De acuerdo al prefacio de Wilkinson ¿por qué tomaban él y otros estudiantes la mayor cantidad de clases posibles con el profesor Hendricks?
2. ¿Qué descubrió Wilkinson acerca del deseo que el profesor Hendricks tiene de asegurar que sus estudiantes estuviesen aprendiendo?

3. ¿Cómo califica Wilkinson dicha disposición del profesor Hendricks?
4. ¿Qué disposición vemos en Walt que facilita (con la ayuda del Señor) el éxito en el ministerio a pesar de sus flaquezas?
5. ¿Cuáles son las siete leyes de la enseñanza?
6. ¿Qué frase sirve como resumen de las siete leyes de la enseñanza?
7. ¿Qué nos muestra la historia de la maestra de ochenta y tres años acerca del compromiso necesario para ser un maestro impactante?
8. ¿Cómo hubiera explicado el profesor Hendricks el impacto de esta maestra hace veinte años y atrás comparado con el presente?
9. ¿Quién nos puede dar una pasión para enseñar como la que poseía la maestra anciana?
10. ¿Qué espera el doctor Hendricks de sus lectores/maestros?

- Escriba tres preguntas propias, dando sus posibles respuestas.

Dibujos explicativos

Estos dibujos o gráficas han sido diseñados a fin de proveerle una manera sencilla de organizar y comprender cuatro puntos esenciales del capítulo.

Interés:

Estudiantes Contenido Proceso

• **Explicación:** Bruce Wilkinson relata la razón por la cual tantos estudiantes acudían al profesor Hendricks y sus clases: él se interesaba y se ocupaba de ellos. Él se preocupaba por ellos como personas y como futuros comunicadores, por las verdades que sus estudiantes iban a aprender, y por el proceso completo de la comunicación excelente. Wilkinson relata que cada palabra y movimiento de Hendricks demostraba su interés en los estudiantes. Los alumnos buscan a maestros como el profesor Hendricks que no sólo les enseñen con excelencia sino que también les ministren a sus vidas.

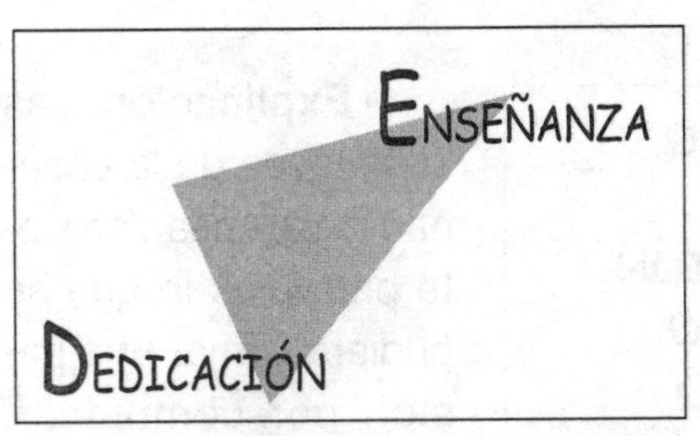

• **Explicación:** Bruce Wilkinson relata cómo el profesor Hendricks no soportaba que ni siquiera un estudiante se extraviara del proceso de la enseñanza. Su dedicación era tal que hacia todo lo posible a fin de lograr que el estudiante regresara de nuevo al proceso de aprender y ser enseñado. Wilkinson clasifica esto como la enseñanza genuina y, mejor dicho, la dedicación. Él lamenta que esa clase de enseñanza no se halla fácilmente hoy en día. Hoy la meta parece ser sólo cubrir el material. Como resultado los alumnos toleran las clases pero no las disfrutan.

• **Explicación**: El profesor Hendricks relata la historia del hombre llamado Walt que motivado por Cristo lo amó aun más que sus propios padres. Hendricks afirma que su interés en enseñar es más que profesional. Él lo califica como «intensamente personal» ya que su vida entera fue cambiada por un maestro comprometido. Walt sólo había llegado al sexto grado en su carrera escolar. Sin embargo, estaba dispuesto a que Dios lo usara y puso en práctica su deseo. Dios obró en todo eso para darnos varios obreros en el ministerio a tiempo completo, incluso el gran profesor Hendricks que ha inspirado e instruido a miles de estudiantes.

7 LEYES
MAESTRO
EDUCACIÓN
PREPARACIÓN
ESTÍMULO
ACTIVIDAD
CORAZÓN
COMUNICACIÓN
PASIÓN

• **Explicación:** Las siete leyes de la enseñanza expresan en siete principios lo que se pudiera llamar una pasión por comunicar. Las siete leyes, reglas o principios sirven para llamar e inspirar al maestro a la clase de comunicación y enseñanza que expresa amor, interés, y preocupación genuina por el estudiante. Estas siete leyes motivan al maestro a enseñar, no por obligación sino por dedicación. Aseguran que si se siguen, la enseñanza brotará de un amor hacia Dios y el estudiante y no de motivos inferiores.

Las leyes abarcan al maestro, a los estudiantes, y a Dios. Dios es quien nos puede dar la pasión por enseñar que dará como resultado la transformación de vidas.

Expresión

Los alumnos deben comunicar sus conocimientos a otros (creyentes y no creyentes) así como expresarlos mediante su conducta. Asimismo, esperamos que expresen sus peticiones y pensamientos íntimos a Dios. Para cumplir con esta sección el alumno debe:

- Redactar tres principios transferibles, provenientes de la lección, aplicables en la vida cristiana.
- Explorar (junto con los compañeros) maneras creativas para comunicar los principios bíblicos a otros.
- Orar los unos por los otros, por sus respectivas iglesias, así como por todo contacto evangelístico u oportunidad para ministrar que se presente.

Lección 2

La ley del maestro

Metas

1. El estudiante conocerá las dimensiones que contribuyen al desarrollo personal de él y sus alumnos.
2. El estudiante se convencerá de la necesidad de atender su crecimiento como persona y educador.
3. El estudiante comunicará la ley del maestro en sus propias palabras.

Objetivo

El estudiante explorará la Ley del maestro y utilizará los conocimientos adquiridos para la preparación de la clase de capacitación que presentará a los maestros y obreros del programa educativo de su iglesia.

Diez preguntas

1. ¿Cómo expresa Howard Hendricks la ley del maestro y cómo contribuye John Milton Gregory?
2. ¿Cuál es la filosofía reflejada en la primera ley?
3. Si queremos ministrarles a otros, ¿qué dice el doctor Hendricks que debe ocurrir primero y por qué?
4. ¿Qué dice el doctor Hendricks acerca de las calificaciones respectivas que usamos para buscar maestros en el

sistema educacional fuera de la iglesia y en la escuela dominical?

5. ¿Qué características busca el doctor Hendricks en aquellos que han de servir como maestros?
6. De acuerdo al doctor Hendricks, ¿qué descubrió acerca de cómo lograr que las personas participen en los ministerios de la iglesia?
7. ¿Qué relación sostenía Pablo con su pasado, su futuro y su presente? ¿Cómo se relaciona esto a nuestro ministerio como maestros?
8. ¿Cuáles son las cuatro áreas en que debemos crecer y qué relación tienen entre sí?
9. ¿Cuáles preguntas debemos hacernos en la autoevaluación?
10. ¿Cómo describe el doctor Hendricks el proceso de cambiar?

- Escriba tres preguntas propias, dando sus posibles respuestas.

Dibujos explicativos

Estos dibujos o gráficas han sido diseñados a fin de proveerle una manera sencilla de organizar y comprender cuatro puntos esenciales del capítulo.

• **Explicación:** El maestro tiene que conocer lo que intenta enseñar. Si el maestro no se ocupa de crecer en sus conocimientos hoy, la consecuencia será que mañana cesará de enseñar. No podemos dar lo que no poseemos ni comunicar en base al vacío. Por lo tanto, el maestro debe funcionar como un estudiante entre estudiantes. El profesor Hendricks afirma estas verdades y las aplica específicamente respecto a que antes de ministrar a otros debemos permitir que Dios nos ministre. En resumen, si nuestra vida se desborda de conocimiento y de la obra del Señor en nosotros, seremos maestros eficaces.

• **Explicación:** La mayoría de las veces nuestra búsqueda de obreros para el programa educacional de la iglesia se caracteriza por desesperación, manipulación y falta de preparación. Nos conformamos con maestros que no están calificados para el privilegio y gran tarea de enseñar la palabra de Dios. Más bien debemos buscar personas que son fieles, que están disponibles, y que están dispuestas a aprender y ser enseñados. A veces pensamos en cualquier persona dispuesta (o tal vez presionada) a enseñar, pero debemos ser muy cuidadosos en la manera de seleccionar los maestros.

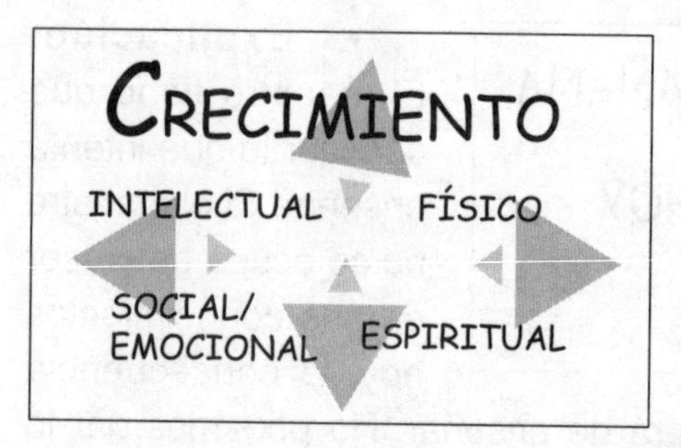

• **Explicación:** El profesor Hendricks explica que si las flechas de nuestras vidas (es decir, nuestras fronteras, preguntas, intereses, energías mentales) se están moviendo hacia adentro, esto indica que estamos en el proceso de muerte. Por otro lado, si las flechas se mueven hacia afuera estamos en proceso de desarrollo. Nuestra actitud y no nuestra edad determina si las flechas van hacia adentro o hacia afuera. Debemos desarrollar cuatro áreas o dimensiones de nuestras vidas: la intelectual, la física, la social/emocional y la espiritual. Hendricks nos hace recordar que el crecimiento espiritual no debe ser nuestra única preocupación sino que debemos integrarlo con los otros aspectos de nuestras vidas. Es decir, no debemos aislar esa faceta de las otras.

• **Explicación:** El profesor Hendricks comparte un sencillo gráfico que nos ayuda a evaluar si estamos llevando una vida balanceada o no. En relación con esto él afirma que la experiencia sola no necesariamente hace que uno sea una mejor persona. Más bien, debemos evaluar nuestra experiencia y hacer los cambios necesarios. Hendricks declara que el proceso de cambio es en su esencia cambiar los patrones de nuestros hábitos. Ya que la mayoría de nosotros tiende a estar desequilibrada en una de estas áreas debemos evaluar nuestras vidas. El profesor Hendricks formula tres preguntas que sirven de base para nuestra autoevaluación: ¿Cuáles son mis puntos fuertes?, ¿Cuáles son mis debilidades?, y ¿En qué tengo que cambiar?

Expresión

Los alumnos deben comunicar sus conocimientos a otros (creyentes y no creyentes) así como expresarlos mediante su conducta. Asimismo, esperamos que expresen sus peticiones y pensamientos íntimos a Dios. Para cumplir con esta sección el alumno debe:

- Redactar tres principios transferibles, provenientes de la lección, aplicables en la vida cristiana.
- Explorar (junto con los compañeros) maneras creativas para comunicar los principios bíblicos a otros.
- Orar los unos por los otros, por sus respectivas iglesias, así como por todo contacto evangelístico u oportunidad para ministrar que se presente.

Lección 3

La ley de la educación

Metas

1. El estudiante comprenderá cómo se relacionan las habilidades del alumno a la metodología y el proceso de la enseñanza.
2. El estudiante tomará en cuenta las capacidades del alumno para la preparación y la enseñanza de las lecciones.
3. El estudiante expresará la Ley de la educación en sus propias palabras.

Objetivo

El estudiante explorará la Ley de la educación y utilizará los conocimientos adquiridos para la preparación de la clase de capacitación que presentará a los maestros y obreros del programa educativo de su iglesia.

Diez preguntas

1. ¿Cómo expresa Howard Hendricks la ley de la educación?
2. De acuerdo a Hendricks, ¿Cuál es la prueba definitiva de la enseñanza?
3. De acuerdo a Maslow, ¿Cuáles son los cuatro niveles del aprendizaje, y cómo se reconocen?
4. ¿Qué papel juega la tensión en el proceso de aprendizaje?

5. El doctor Hendricks habla de tres objetivos claros en la enseñanza, ¿Cuáles son?
6. ¿De qué consiste la verdadera enseñanza y educación?
7. ¿Qué opinión tienen algunos del cristianismo evangélico y el intelecto, y cuál es la perspectiva bíblica?
8. ¿Cuáles son las cuatro actividades básicas que nuestros alumnos deben aprender?
9. ¿Qué papel juega el fracaso en el proceso del aprendizaje?
10. ¿Cuáles son las excepciones a esta ley que menciona el doctor Hendricks?

- Escriba tres preguntas propias, dando sus posibles respuestas.

Dibujos explicativos

Estos dibujos o gráficas han sido diseñados a fin de proveerle una manera sencilla de organizar y comprender cuatro puntos esenciales del capítulo.

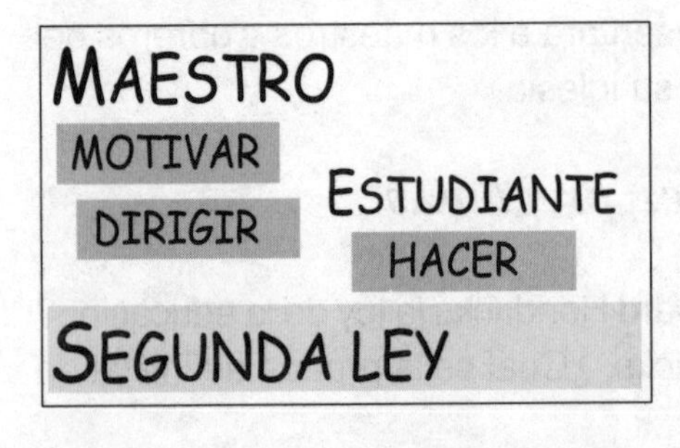

- **Explicación:** La segunda ley de la enseñanza, la ley de la educación, afirma que la manera en que las personas aprenden determina la forma en la cual les enseñamos. El aprendizaje ocurre cuando el mismo alumno investiga, descubre y hace lo necesario para lograr el conocimiento. Por lo tanto, el maestro sirve para estimular, motivar y dirigir las actividades del mismo estudiante. El profesor Hendricks nos instruye a no decirle nada al alumno ni hacer nada por él que pueda aprender o hacer por sí mismo. La prueba de la enseñanza la podemos ver cuando nuestros alumnos saben hacer bien las cosas por sí mismos.

TENSIÓN
TENSIÓN
TENSIÓN

• **Explicación:** Si mantenemos a nuestros estudiantes muy cómodos sin introducir algún reto nuevo, ellos no sentirán el deseo de aprender y desarrollarse. Por lo tanto, el proceso de la enseñanza necesita cierta cantidad de tensión que motive al alumno a aprender. Si introducimos mucha tensión el alumno se frustra y tal vez se dé por vencido sin seguir adelante en el proceso de aprendizaje. Por otro lado, si no existe suficiente tensión el alumno comienza a sentir apatía. Lo ideal es inquietar el equilibrio lo suficiente como para motivar el aprendizaje.

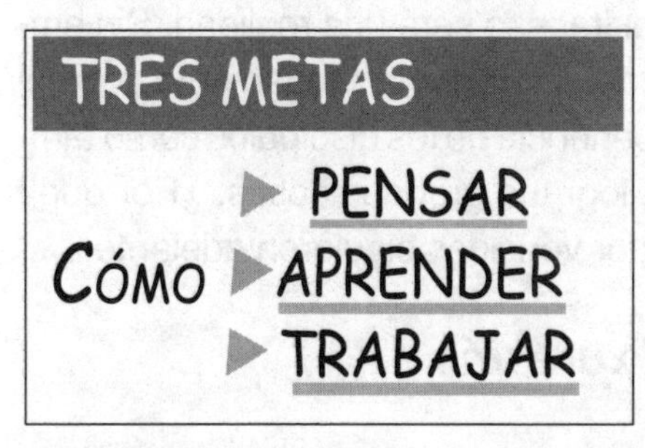

• **Explicación:** Para tener éxito en el proceso de aprendizaje debemos saber lo que estamos tratando de lograr con nuestros alumnos. El doctor Hendricks sugiere tres metas y nos reta a reflexionar acerca de ellas a fin de que las adoptemos. Si queremos que las personas cambien de manera permanente tenemos que cambiar la forma en que piensan. Además debemos perpetuar el proceso de aprendizaje enseñando a las personas cómo aprender. El proceso se mueve de la síntesis al análisis y de regreso a la síntesis. En fin debemos desarrollar personas que estén motivadas a aprender, que sean disciplinadas y que participen en el proceso porque escogen hacerlo por sí mismos.

- **Explicación:** El fracaso puede servir como base para el aprendizaje y para grandes logros. El profesor Hendricks nos provee el ejemplo de un bebé que aprende a caminar. Ningún bebé comienza a caminar sin primero fracasar varias veces. Sin embargo, muchos de nosotros después de fracasar concluimos que Dios no nos ha llamado a servirle en alguna función específica. Se ha dicho que los cristianos no sabemos cómo manejar el fracaso. Por cierto, mientras estemos en la tierra el fracaso será una realidad. Sin embargo, dicho fracaso puede servir como fundamento para el aprendizaje. Así fue la experiencia de los discípulos como también de muchos que han logrado grandes cosas. ¿Por qué? Porque en vez de darse por vencidos siguieron adelante.

Expresión

Los alumnos deben comunicar sus conocimientos a otros (creyentes y no creyentes) así como expresarlos mediante su conducta. Asimismo, esperamos que expresen sus peticiones y pensamientos íntimos a Dios. Para cumplir con esta sección el alumno debe:

- Redactar tres principios transferibles, provenientes de la lección, aplicables en la vida cristiana.
- Explorar (junto con los compañeros) maneras creativas para comunicar los principios bíblicos a otros.
- Orar los unos por los otros, por sus respectivas iglesias, así como por todo contacto evangelístico u oportunidad para ministrar que se presente.

Lección 4

La ley de la actividad

Metas

1. El estudiante comprenderá la relación entre la buena enseñanza y la participación máxima del alumno en el proceso de aprendizaje.
2. El estudiante tomará conciencia de la importancia de cómo realizar la enseñanza para lograr la mayor participación del alumno.
3. El estudiante comunicará la Ley de la actividad en sus propias palabras.

Objetivo

El estudiante explorará la Ley de la actividad y utilizará los conocimientos adquiridos para la preparación de la clase de capacitación que presentará a los maestros y obreros del programa educativo de su iglesia.

Diez preguntas

1. ¿Cómo expresa Howard Hendricks la ley de la actividad, y en qué contribuye John Milton Gregory a su pensamiento?
2. ¿Qué condición conlleva la ley de la actividad para que sea eficaz, y con qué conocimiento se relaciona?
3. ¿Qué importancia tienen los propósitos definidos en el proceso de la educación?

4. El doctor Hendricks nos provee tres afirmaciones pertinentes al proceso de aprendizaje. ¿Cuáles son esas afirmaciones, y cómo las modifica el autor?
5. ¿Qué proverbio chino cita Hendricks, y qué le añade al mismo?
6. De acuerdo al doctor Hendricks, ¿qué clase de actividades son significativas?
7. ¿Qué significa la raíz de la palabra educación, y cómo aplica esto el doctor Hendricks al proceso de aprendizaje?
8. ¿Cómo se identifica el método de enseñanza al cual el autor le llama estilo almacén»?
9. ¿Qué revelan los estudios realizados por las organizaciones juveniles cristianas acerca del comportamiento de los jóvenes creyentes y no creyentes, y cómo se explican los resultados?
10. ¿Por qué dice el doctor Hendricks que muchas iglesias no están enseñando acerca de la vida cristiana de manera realista?

- Escriba tres preguntas propias, dando sus posibles respuestas.

Dibujos explicativos

Estos dibujos o gráficas han sido diseñados a fin de proveerle una manera sencilla de organizar y comprender cuatro puntos esenciales del capítulo.

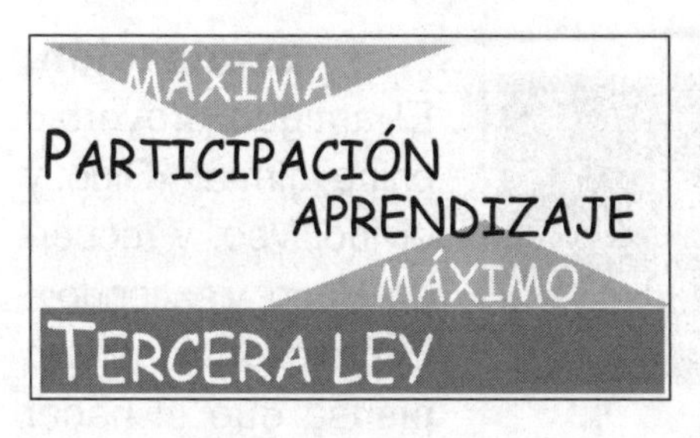

• **Explicación:** La ley de la actividad afirma que la participación máxima de parte del estudiante resulta en el aprendizaje máximo. El profesor Hendricks califica la ley explicando que para que el principio funcione bien el estudiante debe participar por completo en actividades significativas. Por lo tanto, el máximo aprendizaje ocurre cuando el alumno participa plenamente en una actividad con propósito. Asimismo, los maestros nunca debemos perder de vista el objetivo. Siempre debemos tener en mente lo que queremos que nuestros estudiantes logren y diseñar las actividades hacia ese fin.

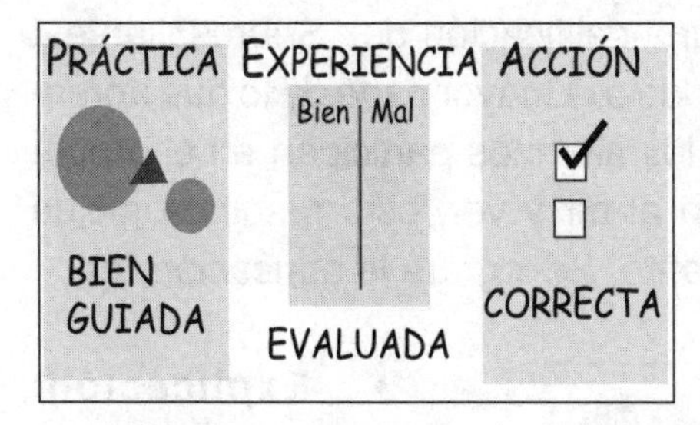

• **Explicación:** El profesor Hendricks nos hace recordar tres afirmaciones que a menudo se escuchan: 1. La práctica perfecciona; 2. La experiencia es el mejor maestro; y 3. Aprendemos haciendo. Estas tres declaraciones expresan parte de la verdad pero necesitan ser refinadas. Por lo tanto, para que la práctica perfeccione debe ser guiada correctamente a fin de lograr la «perfección». Igualmente, la experiencia es un buen maestro sólo si la evaluamos. Si no examinamos nuestra experiencia tal vez repitamos nuestros errores para descubrir al final que no hemos aprendido en realidad. Además, no vale aprender haciendo si lo que hacemos no está bien hecho. El hacer las cosas bien resulta en aprendizaje.

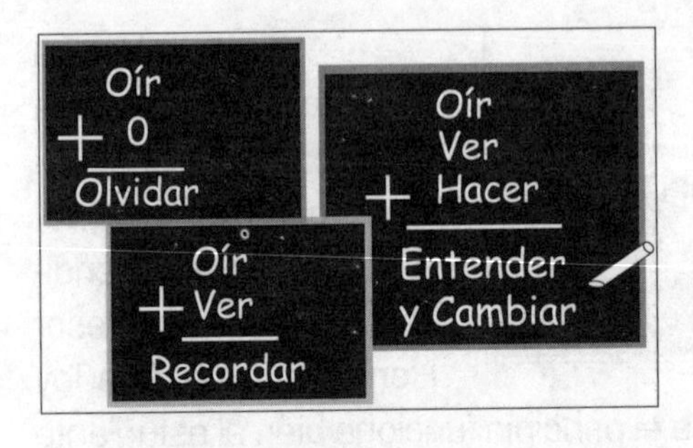

• **Explicación:** El antiguo proverbio chino afirma: «Oigo, y olvido. Veo, y recuerdo. Hago, y entiendo». El profesor Hendricks piensa que el hacer logra un resultado adicional: el cambio. Hendricks nos comunica que potencialmente recordamos 10% ciento de lo que oímos. Si le agregamos al oír el escuchar, el potencial sube a 50%. Sin embargo, si además de oír y escuchar también hacemos, la capacidad para recordar sube a 90%. Si enseñamos de manera que los estudiantes sencillamente tienen que memorizar cierta cantidad de información a fin de pasar un examen, tal vez obtengan una calificación de «Sobresaliente». Sin embargo, olvidarán todo o la mayor parte de lo que aprendieron. Por otro lado, si los alumnos participan en el proceso, añadiendo su acción al oír y ver, esto resultará en un cambio real en el estudiante. Se logrará la educación real.

• **Explicación:** Siempre debemos recordar que el aprender llega como producto de un proceso. El profesor Hendricks nos enseña que no debemos pensar que una sola experiencia logrará que nuestros alumnos aprendan. A los discípulos les costó aprender aun después de presenciar la alimentación de los 5.000 y de los 4.000, dos experiencias muy similares. El aprender comprende un proceso de fracasar y progresar hasta por fin alcanzar el conocimiento. Para el que vida eterna, aprender también incluye saber que sin Dios no podemos realizar lo que él desea que hagamos. Dios nos coloca en un proceso, y con su ayuda aprendemos.

Expresión

Los alumnos deben comunicar sus conocimientos a otros (creyentes y no creyentes) así como expresarlos mediante su conducta. Asimismo, esperamos que expresen sus peticiones y pensamientos íntimos a Dios. Para cumplir con esta sección el alumno debe:

- Redactar tres principios transferibles, provenientes de la lección, aplicables en la vida cristiana.
- Explorar (junto con los compañeros) maneras creativas para comunicar los principios bíblicos a otros.
- Orar los unos por los otros, por sus respectivas iglesias, así como por todo contacto evangelístico u oportunidad para ministrar que se presente.

Lección 5

La ley de la comunicación

Metas

1. El estudiante conocerá cuáles son los elementos de la educación eficaz.
2. El estudiante se preocupará por construir puentes que faciliten la comunicación con el alumno.
3. El estudiante comunicará la Ley de la comunicación en sus propias palabras.

Objetivo

El estudiante explorará la Ley de la comunicación y utilizará los conocimientos adquiridos para la preparación de la clase de capacitación que presentará a los maestros y obreros del programa educativo de su iglesia.

Diez preguntas

1. ¿En qué consiste la ley de la comunicación?
2. ¿Qué significa la comunicación y cómo se establece el ambiente para la comunicación verdadera?
3. ¿Cuáles son los tres componentes esenciales de toda comunicación, y qué relación existe entre dichos componentes?
4. ¿Qué método usa Dios para la comunicación?

5. ¿Qué preguntas sugiere el autor que debemos hacernos cada vez que enseñamos?
6. ¿Qué relación hay entre nuestras palabras y nuestras acciones?
7. De acuerdo al doctor Hendricks, ¿qué cosas requiere la comunicación y qué abarcan?
8. ¿Cómo se estructura un mensaje en la etapa de preparación?
9. ¿Qué tipos de distracciones menciona el autor y cómo debemos responder a ellas?
10. ¿Cuál es el último paso en el proceso de la comunicación y qué importancia tiene?

- Escriba tres preguntas propias, dando sus posibles respuestas.

Dibujos explicativos

Estos dibujos o gráficas han sido diseñados a fin de proveerle una manera sencilla de organizar y comprender cuatro puntos esenciales del capítulo.

- **Explicación:** De acuerdo al doctor Hendricks, la comunicación es la razón por la cual existimos los maestros. Sin embargo, es curioso que la comunicación también representa nuestro problema principal. La enseñanza no puede ocurrir sin buena comunicación y esta tarea demanda el construir puentes entre nosotros y nuestros alumnos. La construcción de puentes en realidad representa el proceso de conocer a las personas y descubrir lo que existe en común. Esto requiere que pasemos tiempo con aquellos a quienes deseamos comunicarles con eficacia. Si no existen dichos puentes con los oyentes no puede haber comunicación genuina.

- **Explicación:** La comunicación eficaz requiere que lo que deseamos comunicar sea una realidad en nuestras propias vidas. El profesor Hendricks compara la tarea de comunicar con la de vender un producto, pero con la diferencia de que estamos «vendiendo» ideas y conceptos. Si un vendedor no cree en su producto y si dicho producto no funciona en su propia vida no tendrá éxito en convencer a otros a comprar. Como maestros necesitamos las tres facetas de conocimiento, emoción y acción si es que vamos a ser convincentes en nuestra presentación de la verdad.

- **Explicación:** El profesor Hendricks nos explica que «la preparación es el mejor seguro» que podemos tener en la comunicación. En este paso le damos estructura al mensaje a fin de prepararlo para ser presentado. Dicha estructura incluye una introducción (la cual presupone que uno sabe lo que quiere comunicar y cómo hacerlo), las ilustraciones que facilitan la comprensión, y una conclusión (la porción menos preparada de muchos mensajes). La presentación le sigue a la preparación e incluye el enunciar bien las palabras y variar el estilo de hablar (el volumen, tono, y ritmo).

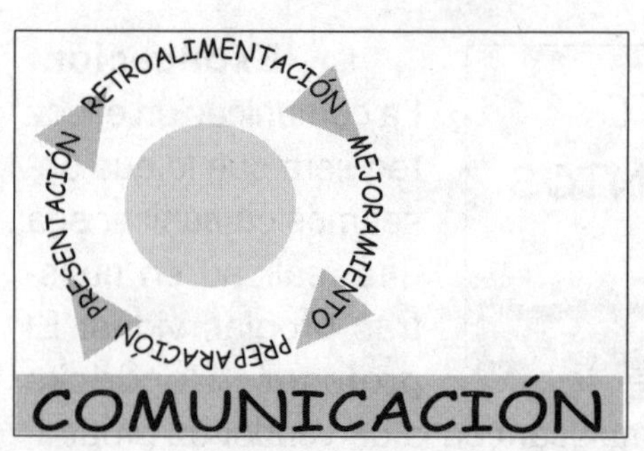

• **Explicación:** El doctor Hendricks nos anima a buscar la retroalimentación a fin de evaluar lo que hemos comunicado. Debemos saber lo que nuestros estudiantes saben, lo que sienten, y lo que están haciendo. Hendricks nos amonesta a no dejar la retroalimentación del proceso de la comunicación no sea que lo perdamos todo. La retroalimentación trata de evaluar lo que nuestros alumnos u oyentes han entendido, sentido, y hecho con referencia a la verdad. La retroalimentación se puede obtener de varias maneras. Podemos preguntar a los oyentes si entendieron lo que dijimos o no. Además les podemos pedir que escriban cómo pueden aplicar lo que se ha dicho en sus esferas de influencia. Otra manera es preguntar: ¿Hay algunas preguntas? Hendricks afirma que si escuchamos la retroalimentación, mejoraremos nuestra tarea como comunicadores.

Expresión

Los alumnos deben comunicar sus conocimientos a otros (creyentes y no creyentes) así como expresarlos mediante su conducta. Asimismo, esperamos que expresen sus peticiones y pensamientos íntimos a Dios. Para cumplir con esta sección el alumno debe:

- Redactar tres principios transferibles, provenientes de la lección, aplicables en la vida cristiana.
- Explorar (junto con los compañeros) maneras creativas para comunicar los principios bíblicos a otros.
- Orar los unos por los otros, por sus respectivas iglesias, así como por todo contacto evangelístico u oportunidad para ministrar que se presente.

Lección 6

La ley del corazón

Metas

1. El estudiante conocerá los elementos del proceso de aprendizaje que van más allá del contenido intelectual (aspectos tales como el carácter, la compasión, y el ejemplo).
2. El estudiante comprenderá la necesidad de comunicarse con el alumno a un nivel que va más allá del intelectual.
3. El estudiante comunicará la Ley del corazón en sus propias palabras.

Objetivo

El estudiante explorará la Ley del corazón y utilizará los conocimientos adquiridos para la preparación de la clase de capacitación que presentará a los maestros y obreros del programa educativo de su iglesia.

Diez preguntas

1. ¿Cómo expresa Howard Hendricks la ley del corazón?
2. De acuerdo a Hendricks, ¿cuál es el significado de la palabra corazón en el entendimiento hebreo?
3. ¿Cuáles son los tres conceptos de Sócrates acerca de la esencia de la comunicación, y qué significan?
4. ¿Qué definición sencilla provee el doctor Hendricks para lo que es enseñar?

5. ¿Qué relación existe entre la enseñanza y el aprendizaje?
6. De acuerdo al doctor Hendricks, ¿cuál es la definición de aprender?
7. ¿Qué responsabilidad existe entre el conocimiento y la responsabilidad ante Dios?
8. ¿Cuál es el punto de partida para el aprendizaje?
9. ¿Qué relación existe entre el cristianismo, la experiencia y los hechos históricos?
10. ¿Qué afirma el doctor Hendricks que necesitamos para ser personas de influencia?

- Escriba tres preguntas propias, dando sus posibles respuestas.

Dibujos explicativos

Estos dibujos o gráficas han sido diseñados a fin de proveerle una manera sencilla de organizar y comprender cuatro puntos esenciales del capítulo.

- **Explicación:** La quinta ley de la enseñanza afirma que la instrucción eficaz ocurre de corazón a corazón y no meramente de cabeza a cabeza. En el concepto hebreo el corazón incluye la persona completa o la totalidad de la personalidad: el intelecto, las emociones, y la voluntad. El profesor Hendricks afirma que la instrucción que solo abarca el plano intelectual representa lo más sencillo en el mundo. Sin embargo, la enseñanza que en realidad cambia a otros ocurre cuando una personalidad transformada por la gracia de Dios se extiende para alcanzar a otras personalidades por medio de la misma gracia. Esto consta de un gran privilegio.

• **Explicación:** El profesor Hendricks explica que Sócrates usó tres conceptos que proveen un resumen del proceso de la comunicación: *ethos*, que trata del carácter; *pathos*, que comprende la compasión; y *logos*, que abarca el contenido. Estas tres facetas del carácter, la compasión y el contenido son las que facilitan el proceso de aprendizaje. Un carácter bueno y grato produce confianza en los estudiantes. La compasión crea motivación en los alumnos ya que ellos responden al amor que les mostramos. Luego, el contenido facilita la percepción de los estudiantes a medida que ellos comprenden los conocimientos y los poseen por sí mismos.

ENSEÑANZA—APRENDIZAJE

CAUSAR
CAMBIAR

• **Explicación:** El proceso de enseñanza-aprendizaje comprende dos conceptos inseparables: enseñar y aprender. Si el alumno no aprendió, nosotros no le hemos enseñando. El profesor Hendricks nos da una definición sencilla de la enseñanza y del aprendizaje. Enseñar es hacer que las personas aprendan, y aprender es cambiar. El enfoque de la enseñanza está en lo que hace el maestro, y el enfoque del aprendizaje en lo que hace el alumno. El aprendizaje produce un cambio en la manera de pensar, en las emociones, y en el comportamiento. Nuestra enseñanza ha sido eficaz si se produce dicho cambio en nuestros alumnos.

• **Explicación:** El doctor Hendricks comparte tres metas que nos ayudarán a ser la clase de persona que impacta las vidas de otros para el Señor. Debemos conocer a nuestros alumnos. Hendricks afirma que podemos impresionar a las personas de lejos, pero para impactarlas hay que hacerlo de cerca. El conocer a los estudiantes requiere dedicación, tiempo y esfuerzo de nuestra parte, pues sin ese conocimiento no podemos suplir sus necesidades. Además, debemos ganar el derecho de ser escuchados. El profesor Hendricks declara que la credibilidad siempre precede la comunicación. También, debemos estar dispuestos a ser vulnerables delante de nuestros alumnos. Ellos no han visto el proceso por el cual hemos pasado para llegar a ser lo que somos hoy. Ser vulnerable es dejar que ellos sepan de nuestras luchas y lo que Dios ha hecho en nosotros.

Expresión

Los alumnos deben comunicar sus conocimientos a otros (creyentes y no creyentes) así como expresarlos mediante su conducta. Asimismo, esperamos que expresen sus peticiones y pensamientos íntimos a Dios. Para cumplir con esta sección el alumno debe:

- Redactar tres principios transferibles, provenientes de la lección, aplicables en la vida cristiana.
- Explorar (junto con los compañeros) maneras creativas para comunicar los principios bíblicos a otros.
- Orar los unos por los otros, por sus respectivas iglesias, así como por todo contacto evangelístico u oportunidad para ministrar que se presente.

Lección 7

La ley del estímulo

Metas

1. El estudiante comprenderá el papel de la motivación en el proceso de aprendizaje.
2. El estudiante tomará conciencia de la necesidad de estimular al alumno para obtener la mayor eficacia del proceso de aprendizaje.
3. El estudiante comunicará la ley del estímulo en sus propias palabras.

Objetivo

El estudiante explorará la Ley del estímulo y utilizará los conocimientos adquiridos para la preparación de la clase de capacitación que presentará a los maestros y obreros del programa educativo de su iglesia.

Diez preguntas

1. ¿Cómo expresa Howard Hendricks la ley del estímulo?
2. De acuerdo a Hendricks, ¿cuáles son los conceptos básicos en la motivación?
3. ¿Qué relación existe entre el CM y el CI del estudiante?
4. ¿Cuáles son algunas de las motivaciones ilegítimas de acuerdo al doctor Hendricks?
5. ¿Cuáles son los dos niveles de motivación y qué significan?

6. ¿Qué es la meta de un maestro o motivador?
7. ¿Cuáles son las cuatro etapas principales en el entrenamiento?
8. ¿Qué quiere decir el doctor Hendricks con el «toque personal» en la educación con referencia al alumno, al maestro, al Espíritu Santo, y al cuerpo de Cristo?
9. ¿Qué sugiere el doctor Hendricks con referencia a la creatividad y la prohibición?
10. ¿Cuál es la pregunta principal en el tema de la motivación a otros?

- Escriba tres preguntas propias, dando sus posibles respuestas.

Dibujos explicativos

Estos dibujos o gráficas han sido diseñados a fin de proveerle una manera sencilla de organizar y comprender cuatro puntos esenciales del capítulo.

- **Explicación:** La sexta ley afirma que la enseñanza tiene mayor eficacia cuando el alumno recibe la motivación apropiada. El doctor Hendricks declara que el problema principal de la educación hoy en día es la falta de proveer motivación a los estudiantes. Hendricks está convencido cada vez más que el coeficiente de motivación de una persona sobrepasa su coeficiente de inteligencia en importancia. Existen estudiantes que tienen la habilidad de lograr el éxito pero carecen del deseo de aplicarse a sus estudios. Por lo tanto, el estímulo apropiado precede la enseñanza eficaz.

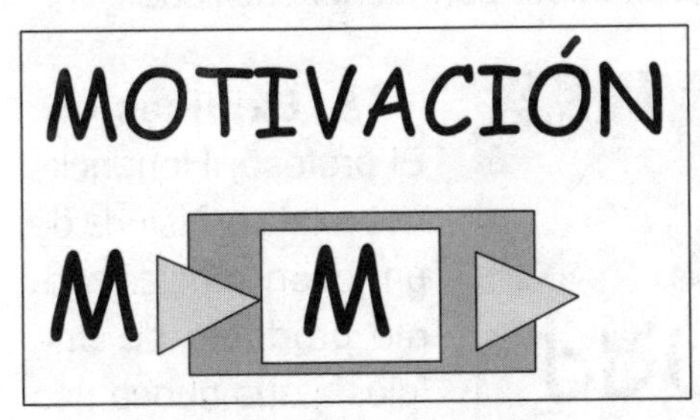

• **Explicación:** El profesor Hendricks nos instruye acerca de dos niveles de motivación, la extrínseca (que viene de afuera) y la intrínseca (interna). La interna representa la más importante de las dos. Sin embargo, los maestros debemos utilizar la motivación externa a fin de lograr la interna. Debemos descubrir lo que motivará a nuestros alumnos para que deseen aprender por si mismos sin tener que ser forzados y sin tener que pedírselo. La motivación interna caracteriza la madurez y comprende nuestra meta como maestros, es decir producir adultos con motivación propia.

• **Explicación:** La motivación también requiere que el maestro estructure el proceso de entrenamiento de la manera correcta. El doctor Hendricks nos habla acerca de cuatro facetas del proceso y nos da información adicional. Los pasos comprenden el decir, el demostrar y el practicar (bajo dos circunstancias diferentes). El último paso del hacer se realiza en dos etapas. En la primera el alumno practica lo aprendido en un ambiente controlado, ya sea el aula u otro sitio. En la segunda, el alumno lo hace por sí mismo en la vida real. Además de estos cuatro pasos, Hendricks declara la importancia de asignar el deber con responsabilidad.

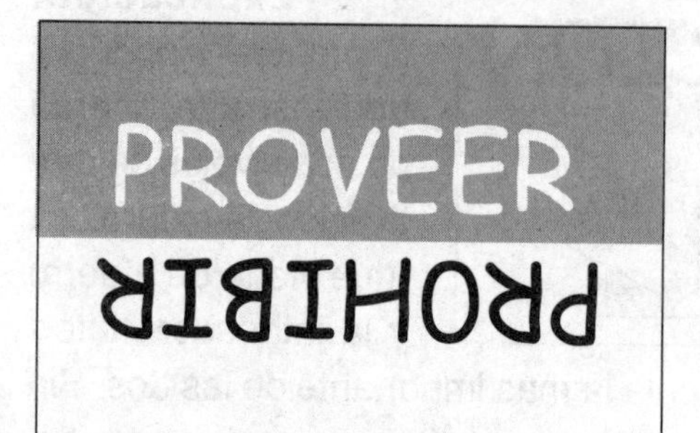

- **Explicación:** El profesor Hendricks nos relata la historia de un joven musical genio producto de una iglesia que nunca usó el talento que éste poseía. El joven llegó a ser un músico famoso alejado de Jesucristo. Hendricks comparte el relato para mostrar que no debemos prohibir sin proveer a la vez. Es decir, en las iglesias solemos condenar las actividades de los jóvenes sin proveerles oportunidades para usar todos sus talentos, energías, y creatividad para servir al Señor. En vez de utilizar métodos creativos para motivar a las personas y permitir que la creatividad que Dios nos ha dado sea usada para su gloria, a menudo matamos la creatividad. Si comenzamos a utilizar el principio de no prohibir sin proveer una alternativa, veremos muchos talentos y mucha creatividad utilizada para el fin de glorificar a Dios.

Expresión

Los alumnos deben comunicar sus conocimientos a otros (creyentes y no creyentes) así como expresarlos mediante su conducta. Asimismo, esperamos que expresen sus peticiones y pensamientos íntimos a Dios. Para cumplir con esta sección el alumno debe:

- Redactar tres principios transferibles, provenientes de la lección, aplicables en la vida cristiana.
- Explorar (junto con los compañeros) maneras creativas para comunicar los principios bíblicos a otros.
- Orar los unos por los otros, por sus respectivas iglesias, así como por todo contacto evangelístico u oportunidad para ministrar que se presente.

Lección 8

La ley de la preparación

Metas

1. El estudiante comprenderá la importancia de las tareas y la preparación del alumno en el proceso del aprendizaje.
2. El estudiante se preocupará de preparar al alumno para la mayor eficacia del aprendizaje.
3. El estudiante comunicará la ley de la preparación en sus propias palabras.

Objetivo

El estudiante explorará la Ley de la preparación y utilizará los conocimientos adquiridos en la preparación de la clase de capacitación que presentará a los maestros y obreros del programa educativo de su iglesia.

Diez preguntas

1. ¿Cómo expresa el doctor Hendricks la ley de la preparación y con qué contribuye John Milton Gregory a su pensamiento?
2. ¿Qué plan o método alternativo sugiere Hendricks con referencia al principio de la clase?
3. ¿Por qué razón sugiere Hendricks que cambiemos nuestra manera de pensar acerca de cuándo debe ser el principio de la clase?

4. ¿Qué relación existe entre la ley de preparación y las tareas?
5. De acuerdo al doctor Hendricks, ¿qué beneficios traen las tareas?
6. ¿Cómo podemos saber si hemos asignado una buena tarea?
7. ¿Qué relación existe entre la anticipación y el impacto?
8. ¿Qué descubrió el profesor Hendricks después de años de enseñar acerca del nivel de confianza que tienen las personas en su habilidad para entender la Biblia?
9. ¿Qué relación existe entre nuestra confianza en los alumnos y su confianza en sí mismos y cuáles principios podemos usar para animar la participación?
10. ¿Qué podemos hacer cuando una persona desea controlar la clase?

- Escriba tres preguntas propias, dando sus posibles respuestas.

Dibujos explicativos

Estos dibujos o gráficas han sido diseñados a fin de proveerle una manera sencilla de organizar y comprender cuatro puntos esenciales del capítulo.

- **Explicación:** La séptima ley de la enseñanza afirma que se logra la mayor eficacia en el proceso del aprendizaje si tanto los maestros como los estudiantes llegan preparados para aprender. John Milton Gregory nos dice que muchos maestros llegan con poca o ninguna preparación, lo cual no es justo para los estudiantes. Por otro lado, si los alumnos llegan a las clases sin una preparación adecuada, no sacarán el mayor provecho de la experiencia de aprendizaje. Debemos cambiar nuestra forma de pensar para que el comienzo de la clase sea antes de que comience. De esta manera el ímpetu que comenzó antes de la reunión se sigue desarrollando en la clase.

• **Explicación:** Para comenzar el ímpetu de la clase antes de que los estudiantes lleguen al aula o a la reunión necesitamos asignar tareas relevantes que logren nuestras metas. El profesor Hendricks nos indica tres beneficios de las tareas: 1. Provocan el pensamiento: los estudiantes comienzan a «calentar» sus mentes antes de llegar al aula; 2. Proveen un trasfondo o una base: los alumnos llegan con una base de preguntas y curiosidad; y 3. Desarrollan el hábito de estudiar por sí mismos: los estudiantes no solo están escuchándolo a usted sino que se involucran en el proceso.

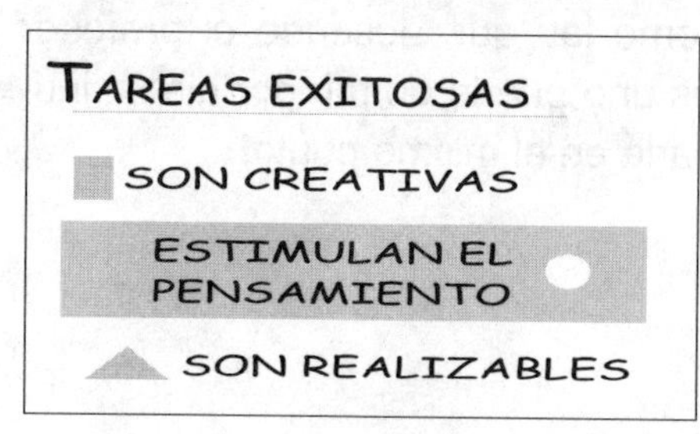

• **Explicación:** Aunque estemos convencidos del gran valor y de la importancia de asignar tareas, ¿cómo podemos saber qué clase de tareas son eficaces? El profesor Hendricks nos ayuda dándonos tres características de las tareas eficaces: 1. Son creativas, no son sencillamente trabajos para mantener a los alumnos ocupados; 2. Estimulan la mente de los alumnos a fin de que surjan muchas preguntas y no tantas respuestas; y 3. Son realizables, es decir, no debemos echar una carga sobre los alumnos que no es realista. Debemos buscar el éxito de nuestros alumnos, estimándoles a seguir aprendiendo por toda la vida.

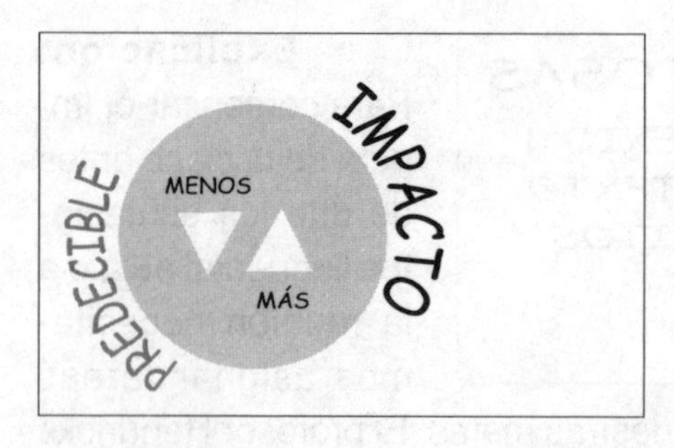

• **Explicación:** El doctor Hendricks explica que existe una relación entre la anticipación y el impacto. Si los alumnos siempre saben lo que vamos a hacer, es decir, si pueden predecir nuestras acciones el impacto no será alto. El aburrimiento no motiva el interés de los estudiantes. Hendricks aclara que él se refiere a la metodología de enseñanza y no a la moralidad del maestro. Nuestros alumnos deben pode r predecir nuestras buenas acciones morales. Por otro lado, en cuanto a la metodología debemos ser un tanto imprevisibles. De esta manera aseguramos que nuestras clases no serán como las que describe el profesor Hendricks, ¡en las cuales uno puede dormir por diez minutos y despertar para hallarla en el mismo punto!

Expresión

Los alumnos deben comunicar sus conocimientos a otros (creyentes y no creyentes) así como expresarlos mediante su conducta. Asimismo, esperamos que expresen sus peticiones y pensamientos íntimos a Dios. Para cumplir con esta sección el alumno debe:

- Redactar tres principios transferibles, provenientes de la lección, aplicables en la vida cristiana.
- Explorar (junto con los compañeros) maneras creativas para comunicar los principios bíblicos a otros.
- Orar los unos por los otros, por sus respectivas iglesias, así como por todo contacto evangelístico u oportunidad para ministrar que se presente.

Manual para el facilitador

Introducción

Este material se preparó para ser usado por el facilitador de un grupo o peña. Dicho facilitador se encargará de orientar a un grupo de cinco a diez estudiantes a fin de que completen el curso. La tarea demandará esfuerzo de su parte, ya que, aun cuando el facilitador no es el instructor en sí (el libro de texto sirve de «maestro»), debe conocer bien el material, animar y dar aliento al grupo, y modelar la vida cristiana delante de los miembros de la peña.

La recompensa del facilitador vendrá, en parte, del buen sentir que experimentará al ver que está contribuyendo al crecimiento de otros, del privilegio de entrenar a otros y del fruto que llegará por la evangelización. El facilitador también debe saber que el Señor lo recompensará ampliamente por su obra de amor.

A continuación encontramos las tres facetas principales del programa FLET para el estudio en grupo: las lecciones, las reuniones y las expresiones.

1. **Las lecciones:** Ellas representan el aspecto del programa del cual el alumno es plenamente responsable. Sin embargo, aunque el estudiante debe leer el capítulo indicado y responder las preguntas, también debe reconocer que necesitará la ayuda de Dios para sacar el mayor provecho de cada porción del texto. Usted, como facilitador, debe informarles a los estudiantes que la calidad de la reunión será realzada o minimizada según la calidad del interés, esfuerzo y comunión con Dios que el alumno tenga en su estudio personal. Se ofrecen las siguientes guías a fin de asegurar una calidad óptima en las lecciones:

a. El alumno debe tratar (si fuese posible) de dedicar un tiempo para el estudio a la misma hora todos los días. Debe asegurarse de tener a la mano todos los materiales que necesite (Biblia, libro de texto, cuaderno, lápices o bolígrafos), y que el lugar donde se realice la tarea tenga un ambiente que facilite el estudio con suficiente luz, espacio tranquilidad y temperatura cómoda. Esto puede ayudar al alumno a desarrollar buenos hábitos de estudio.
b. El alumno debe proponerse la meta de completar una lección por semana (a no ser que esté realizando otro plan, ya sea más acelerado o más lento, véase la sección de «Opciones para realizar el curso»).
c. El alumno debe repasar lo que haya aprendido de una manera sistemática. Un plan factible es repasar el material al segundo día de estudiarlo, luego el quinto día, el décimo, el vigésimo y el trigésimo.

2. **Las reuniones:** En las reuniones o peñas, los estudiantes comparten sus respuestas, sus dudas y sus experiencias educacionales. Para que la reunión sea grata, de provecho e interesante se sugiere lo siguiente:
   a. La reunión debe tener entre cinco y diez participantes: La experiencia ha mostrado que el número ideal de alumnos es de cinco a diez. Esta cantidad asegura que se compartan suficientes ideas para que la reunión sea interesante como también que haya suficiente oportunidad para que todos puedan expresarse y contribuir a la dinámica de la reunión.
   También ayuda a que el facilitador no tenga muchos problemas al guiar a los participantes en una discusión franca y espontánea, aunque también ordenada.

b. Las reuniones deben ser semanales o según el plan de estudios seleccionado: El grupo o peña debe reunirse una vez a la semana (plan de dos meses). Las reuniones deben ser bien organizadas a fin de que los alumnos no pierdan su tiempo. Para lograr esto se debe comenzar y concluir a tiempo. Los estudiantes pueden quedarse más tiempo si así lo desean, pero la reunión en sí debe observar ciertos límites predeterminados.
   De esta manera los estudiantes no sentirán que el facilitador no los respeta a ellos ni a su tiempo.
c. Las reuniones requieren la participación de todos. Esto significa no solo que los alumnos no deben faltar a ninguna de ellas, sino también que todos participen en la discusión cuando asistan. El cuerpo de Cristo, la Iglesia, consiste de muchos miembros que se deben ayudar mutuamente. La reunión o peña debe proveer un contexto idóneo para que los participantes compartan sus ideas en un contexto amoroso, donde todos deseen descubrir la verdad, edificarse y conocer mejor a Dios. Usted, como facilitador, debe comunicar el gran valor de cada miembro y de su contribución particular al grupo.

3. **Las expresiones:** Esta faceta del proceso tiene que ver con la comunicación creativa, relevante, y eficaz del material que se aprende. La meta no es sencillamente llenar a los estudiantes de conocimientos, sino prepararlos para utilizar el material tanto para la edificación de creyentes como para la evangelización de los no creyentes. Es cierto que no todo el material es «evangelístico» en sí, pero a

veces se tocan varios temas durante el proceso de la evangelización o del seguimiento y estos conocimientos tal vez ayuden a abrir una puerta para el evangelio o aun mantenerla abierta. Las siguientes consideraciones servirán para guiar la comunicación de los conceptos:

a. La comunicación debe ser creativa: La clave de esta sección es permitir que los alumnos usen sus propios talentos de manera creativa. No todos tendrán ni la habilidad ni el deseo de predicar desde un púlpito. Pero tal vez algunos tengan talentos para escribir poesías, canciones, o coros, o hacer dibujos o pinturas que comuniquen las verdades que han aprendido. Otros quizás tengan habilidades teatrales que pueden usar para desarrollar dramatizaciones que comuniquen principios cristianos de manera eficaz, educativa y entretenida. Y aun otros pueden servir de maestros, pastores o facilitadores para otros grupos o peñas. No les imponga límites a las diversas maneras en las cuales se puede comunicar la verdad de Dios.

b. La comunicación debe ser clara: Las peñas proveen un contexto idóneo para practicar la comunicación de las verdades cristianas. En este ambiente caracterizado por el amor, el aliento y la dirección se pueden hacer «dramatizaciones» en las cuales alguien formule «preguntas difíciles», mientras otro u otros tratan de responder como si fuera una situación real. Después los demás en la peña pueden evaluar tanto las respuestas que se dieron como la forma en la cual se desenvolvió el proceso y el resultado. La evaluación debe tomar en cuenta aspectos como la apariencia, el manejo del material, y el carácter o disposición con que fue comunicado. Se puede hacer una dramatización, algo humorística, donde un cristiano con buenas intenciones, pero no muy «presentable», trata de comunicarse con un incrédulo bien vestido, perfumado y limpio. Después, la clase puede participar en una discusión amigable acerca del papel de la apariencia en la evangelización.

c. La comunicación debe reflejar el carácter cristiano. Usted como facilitador debe modelar algunas de las características cristianas que debemos reflejar cuando hablemos con otros acerca de Jesucristo y la fe cristiana. Por ejemplo, la paciencia, la humildad y el dominio propio deben ser evidentes en nuestras conversaciones. Debemos también estar conscientes de que dependemos de Dios para que nos ayude a hablar con otros de manera eficaz. Sobre todo, debemos comunicar el amor de Dios. A veces nuestra forma de actuar con los no cristianos comunica menos amor que lo que ellos reciben de sus amistades que no son cristianas. Las peñas proveen un contexto amigable, eficaz y sincero para evaluar, practicar y discutir estas cosas.

Cada parte del proceso ya detallado contribuye a la que le sigue, de manera que la calidad del proceso de la enseñanza depende del esfuerzo realizado en cada paso. Si la calidad de la lección es alta, esto ayudará a asegurar una excelente experiencia en la reunión, ya que todos los estudiantes vendrán preparados, habiendo hecho buen uso de su tiempo personal. De la misma manera, si la reunión se desenvuelve de manera organizada y creativa, facilitará la excelencia en las expresiones, es decir, las oportunidades que tendremos fuera de las reuniones para compartir las verdades de Dios. Por lo tanto, necesitaremos la ayuda de

Dios en todo el proceso a fin de que recibamos el mayor provecho posible del programa.

Instrucciones específicas

Antes de la reunión: *Preparación*

A. Oración: Es la expresión de nuestra dependencia de Dios.

1. Ore por usted mismo.
2. Ore por los estudiantes.
3. Ore por los que serán alcanzados e impactados por los alumnos.

B. Reconocimiento

1. Reconozca su identidad en Cristo (Romanos 6—8).
2. Reconozca su responsabilidad como maestro o facilitador (Santiago 3.1-17).
3. Reconozca su disposición como siervo (Marcos 10.45; 2 Corintios 12.14-21).

C. Preparación

1. Estudie la porción del alumno sin ver la guía para el facilitador, es decir, como si usted fuese uno de los estudiantes.
   a. Tome nota de los aspectos difíciles, así se anticipará a las preguntas.
   b. Tome nota de las ilustraciones o métodos que le vengan a la mente mientras lee.
   c. Tome nota de los aspectos que le sean difíciles a fin de investigar más usando otros recursos.
2. Estudie este manual para el facilitador.
3. Reúna otros materiales, ya sea para ilustraciones, aclaraciones, o para proveer diferentes puntos de vista a los del texto.

Durante la reunión: *Participación*

Recuerde que el programa FLET sirve no solo para desarrollar a aquellos que están bajo su cuidado como facilitador, sino también para edificar, entrenar y desarrollarlo a usted mismo. La reunión consiste de un aspecto clave en el desarrollo de todos los participantes, debido a las dinámicas de la reunión. En la peña, varias personalidades interactuarán, tanto unas con otras, como también ambas con Dios. Habrá personalidades diferentes en el grupo y, junto con esto, la posibilidad para el conflicto. No le tenga temor a esto. Parte del currículum será el desarrollo del amor cristiano. Tal vez Dios quiera desarrollar en usted la habilidad de resolver conflictos entre hermanos en la fe. De cualquier modo, nuestra norma para solucionar los problemas es la Palabra inerrante de Dios. Su propia madurez, su capacidad e inteligencia iluminadas por las Escrituras y el Espíritu Santo lo ayudarán a mantener un ambiente de armonía. Si es así, se cumplen los requisitos del curso y, lo más importante, los deseos de Dios. Como facilitador, debe estar consciente de las siguientes consideraciones:

A. El tiempo u horario

1. La reunión debe ser siempre el mismo día, a la misma hora, y en el mismo lugar cada semana, ya que eso evitará confusión. El facilitador siempre debe tratar de llegar con media hora de anticipación para asegurarse de que todo esté preparado para la reunión y para resolver cualquier situación inesperada.
2. El facilitador debe estar consciente de que el enemigo a veces tratará de interrumpir las reuniones o traer confusión. Tenga mucho cuidado con cancelar reuniones o cambiar horarios. Comunique a los participantes en

la peña la responsabilidad que tienen unos con otros. Esto no significa que nunca se debe cambiar una reunión bajo ninguna circunstancia. Más bien quiere decir que se tenga cuidado y que no se hagan cambios innecesarios a cuenta de personas que por una u otra razón no pueden llegar a la reunión citada.

3. El facilitador debe completar el curso en las semanas indicadas (o de acuerdo al plan de las otras opciones).

B. El lugar

1. El facilitador debe asegurarse de que el lugar para la reunión esté disponible durante las semanas correspondientes al término del curso. También deberá tener todas las llaves u otros recursos necesarios para utilizar el local.
2. Debe ser un lugar limpio, tranquilo y tener buena ventilación, suficiente luz, temperatura agradable y espacio a fin de poder sacarle provecho y facilitar el proceso educativo.
3. El sitio debe tener el mobiliario adecuado para el aprendizaje: una mesa, sillas cómodas, una pizarra para tiza o marcadores que se puedan borrar. Si no hay mesas, los estudiantes deben sentarse en un círculo a fin de que todos puedan verse y escucharse. El lugar completo debe contribuir a una postura dispuesta para el aprendizaje. El sitio debe motivar al alumno a trabajar, compartir, cooperar y ayudar en el proceso educativo.

C. La interacción entre los participantes

1. Reconocimiento:
   a. Saber el nombre de cada persona.

   b. Conocer los datos personales: estado civil, trabajo, nacionalidad, dirección, teléfono.
   c. Saber algo interesante de ellos: comida favorita, cumpleaños, etc.
2. Respeto para todos:
   a. Se deben establecer reglas para la reunión: Una persona habla a la vez y los demás escuchan.
   b. No burlarse de los que se equivocan ni humillarlos.
   c. Entender, reflexionar o pedir aclaración antes de responder lo que otros dicen.
3. Participación de todos:
   a. El facilitador debe permitir que los alumnos respondan sin interrumpirlos. Debe dar suficiente tiempo para que los estudiantes reflexionen y compartan sus respuestas.
   b. El facilitador debe ayudar a los alumnos a pensar, a hacer preguntas y a responder, en lugar de dar todas las respuestas él mismo.
   c. La participación de todos no significa necesariamente que tienen que hablar en cada sesión (ni que tengan que hablar desde el principio, es decir, desde la primera reunión), más bien quiere decir, que antes de llegar a la última lección todos los alumnos deben sentirse cómodos al hablar, participar y responder sin temor a ser ridiculizados.

Después de la reunión: *Evaluación y oración*

A. Evaluación de la reunión y la oración:

1. ¿Estuvo bien organizada la reunión?
2. ¿Fue provechosa la reunión?
3. ¿Hubo buen ambiente durante la reunión?

4. ¿Qué peticiones específicas ayudarían a mejorar la reunión?

B. Evaluación de los alumnos:

1. En cuanto a los alumnos extrovertidos y seguros de sí mismos: ¿Se les permitió que participaran sin perjudicar a los más tímidos?
2. En cuanto a los alumnos tímidos: ¿Se les animó a fin de que participaran más?
3. En cuanto a los alumnos aburridos o desinteresados: ¿Se tomó especial interés en descubrir cómo despertar en ellos la motivación por la clase?

C. Evaluación del facilitador y la oración:

1. ¿Estuvo bien preparado el facilitador?
2. ¿Enseñó la clase con buena disposición?
3. ¿Se preocupó por todos y fue justo con ellos?
4. ¿Qué peticiones específicas debe hacer al Señor a fin de que la próxima reunión sea aun mejor?

Ayudas adicionales

1. **Saludos:** Para establecer un ambiente amistoso, caracterizado por el amor fraternal cristiano, debemos saludarnos calurosamente en el Señor. Aunque la reunión consiste de una actividad más bien académica, no debe adolecer del amor cristiano. Por lo tanto, debemos cumplir con el mandato de saludar a otros, como se encuentra en la mayoría de las epístolas del Nuevo Testamento. Por ejemplo, 3 Juan concluye con las palabras: La paz sea contigo. Los amigos te saludan. Saluda tú a los amigos, a cada uno en particular. Saludar provee una manera sen-

cilla, pero importante, de cumplir con los principios de autoridad de la Biblia.

2. **Oración:** La oración le comunica a Dios que estamos dependiendo de Él para iluminar nuestro entendimiento, calmar nuestras ansiedades y protegernos del maligno. El enemigo intentará interrumpir nuestras reuniones por medio de la confusión, la división y los estorbos. Es importante reconocer nuestra posición victoriosa en Cristo y seguir adelante. El amor cristiano y la oración sincera ayudarán a crear el ambiente idóneo para la educación cristiana.
3. **Creatividad:** El facilitador debe esforzarse por emplear la creatividad que Dios le ha dado tanto para presentar la lección como para mantener el interés durante la clase completa. Su ejemplo animará a los estudiantes a esforzarse en comunicar la verdad de Dios de manera interesante. El Evangelio de Marcos reporta lo siguiente acerca de Juan el Bautista: Porque Herodes temía a Juan, sabiendo que era varón justo y santo, y le guardaba a salvo; y oyéndole, se quedaba muy perplejo, pero le escuchaba de buena gana (Marcos 6.20). Y acerca de Jesús dice: Y gran multitud del pueblo le oía de buena gana (Marcos 12.37b). Notamos que las personas escuchaban «de buena gana». Nosotros debemos esforzarnos para lograr lo mismo con la ayuda de Dios. Se ha dicho que es un pecado aburrir a las personas con la Palabra de Dios. Hemos provisto algunas ideas que se podrán usar tanto para presentar las lecciones como para proveer proyectos adicionales útiles para los estudiantes. Usted puede modificar las ideas o crear las suyas propias. Pídale ayuda a nuestro Padre bondadoso, todopoderoso y creativo a fin de que lo ayude a crear lecciones animadas, gratas e interesantes.

Conclusión

El beneficio de este estudio dependerá de usted y de su esfuerzo, interés y relación con Dios. Si el curso resulta una experiencia grata, educativa y edificadora para los estudiantes, ellos querrán hacer otros cursos y progresar aun más en su vida cristiana. Que así sea con la ayuda de Dios.

Estructura de la reunión

1. Introducción: Después de una oración para comenzar la lección los alumnos deben discutir los casos de estudio asignados para la lección (véase el plan de tareas). Después de un intercambio de ideas edificador y motivador los alumnos deben pasar al próximo paso.
2. Preguntas: Los estudiantes reflexionarán acerca de las preguntas que se encuentran al final de los capítulos leídos y a las cuales respondieron durante la semana (antes de llegar a la reunión).
3. Expresión: Los alumnos conversarán acerca de cómo comunicar los conceptos y principios de la ética cristiana a otros con creatividad, inteligencia y amor.
4. Conclusión: La reunión se concluye con oración los unos por los otros y por las congregaciones y líderes de las iglesias representadas en la reunión.

Nota: El facilitador del grupo será el encargado de tomar el examen final y enviarlo a la oficina de registros de la Universidad FLET en Miami, Florida, EE.UU.

Lección 1

Sugerencias para comenzar la primera clase

1. Comience la clase leyendo la siguiente cita del prefacio por Wilkinson: «¿Por qué tantos otros estudiantes y yo tomamos todas las materias que nos fueron posibles de este hombre? Porque él se interesaba en cada uno de nosotros como individuos y futuros comunicadores. Él se interesaba en las verdades que aprendíamos en sus clases. Se interesaba en el propósito total de la comunicación excelente. Sí, se interesaba por nosotros y eso se veía en cada palabra que hablaba y en cada movimiento que hacia. El hecho es que él no estaba tanto enseñando un curso como ministrando a sus estudiantes». Entonces pida a los alumnos que por un lado expresen entre cinco y diez maneras en las cuales un maestro puede comunicar que no se preocupa por sus estudiantes, y por el otro, las formas en que si puede expresar su interés en ellos, respectivamente. Después de unos minutos de interacción prosigan al próximo paso en la lección.

2. Pida a los alumnos que opinen acerca del siguiente pensamiento de Wilkinson acerca del doctor Hendricks: «El hecho es que él no estaba tanto enseñando un curso como ministrando a sus estudiantes». En su contexto, ¿qué quiere decir Wilkinson? ¿Significa que Hendricks no tenía contenido intelectual en sus cursos? ¿Quiere decir que el doctor Hendricks utilizaba el tiempo de la clase para predicarles a sus alumnos? ¿De qué manera puede un maestro «ministrar» a sus estudiantes? ¿Qué relación hay entre «ministrar» a los alumnos y su futuro potencial, el éxito y su eficacia en el ministerio? Discutan el tema por un tiempo y luego pasen al resto de la lección.

3. Pida a varios estudiantes que opinen acerca del papel de Walt en la vida del profesor Hendricks. Luego discutan preguntas como las siguientes: ¿Qué hizo Walt para impactar a Hendricks? ¿Cómo se distingue entre el amor y la manipulación? ¿Cómo hubiera sido la vida de Hendricks sin la influencia redentora que Dios llevó a su vida por medio de Walt? ¿Qué excusas pudiera haber usado Walt para darse por vencido y no hacer nada por el Señor? ¿Quién fue la motivación suprema en la vida de Walt?

4. Desarrolle su creatividad para comenzar y presentar la lección.

Comprobación de los diez preguntas

1. Los estudiantes se inscribían en las clases del doctor Hendricks porque él se interesaba en cada uno de ellos como individuos y futuros comunicadores.
2. Hendricks hacía lo que fuese necesario para traer de nuevo a un estudiante al proceso de la enseñanza.
3. Wilkinson califica el deseo y la acción de Hendricks como dedicación y en realidad como enseñanza.
4. Walt demostró el deseo de alcanzar a las personas para Cristo, el amor hacia sus alumnos, y la calidad de ser una persona genuina, ferviente y tenaz.

5. Las siete leyes son las siguientes: La ley del maestro; la ley de la educación; la ley de la actividad; la ley de la comunicación; la ley del corazón; la ley del estímulo; y la ley de la preparación.
6. La frase «pasión por comunicar» sirve como resumen de las siete leyes.
7. La historia de la anciana de ochenta y tres años de edad muestra que aunque ella ya estaba bien equipada para enseñar y pudiera haber servido de maestra a los otros participantes en la conferencia (si tomamos en cuenta su edad, la naturaleza inquieta y enérgica de los adolescentes que ella enseñaba, y el porcentaje de alumnos que tenía en el contexto de la cantidad total de personas que asistían a su iglesia), ella aun deseaba aprender más y ser mejor maestra.
8. Hace veinte años el doctor Hendricks le hubiera atribuido el impacto de la maestra a su metodología. Hoy en día cree que su secreto estaba en una pasión por comunicar.
9. Dios puede.
10. El profesor Hendricks espera que nunca perdamos la emoción de saber que alguien en realidad nos escuche y aprenda de nosotros.

Sugerencias para proyectos adicionales

1. El estudiante puede reunir una antología de historias inspiradoras de maestros y maestras que han impactado a sus alumnos de manera especial. Las historias pueden incluir personajes de la historia de la iglesia como también figuras locales. Como parte del proyecto, puede visitar a otras iglesias en su comunidad y preguntar acerca de los héroes y heroínas de la enseñanza en las respec-

tivas congregaciones. Después de coleccionar las historias y escribirlas de manera ordenada, el alumno puede hacer copias para compartir con los otros estudiantes.

2. El alumno puede hacer un estudio inductivo de todos los relatos (o algunos de ellos) en los evangelios que tratan con Jesús y su enseñanza. Debe notar el contexto, el contenido y el proceso de la enseñanza como también la reacción de los oyentes y la de Jesús. También se deben tomar en cuenta los métodos que nuestro Señor Jesús utilizaba y estar alertos a fin de descubrir principios que podemos emplear en nuestra enseñanza. El alumno puede compartir algunos de sus descubrimientos con los otros estudiantes en una futura reunión.

3. El estudiante puede usar los relatos en el prefacio y en la sección titulada «Una pasión por comunicar» junto con otras historias conocidas a fin de crear una presentación motivadora para futuros maestros y maestras en la iglesia. Dicha presentación se puede utilizar para motivar a aquellos que Dios usará para enseñar en la escuela dominical, desarrollar seminarios en la iglesia, o servir en alguna otra capacidad educacional.

4. Un proyecto original desarrollado por el alumno, el guía o facilitador, o ambos.

Lección 2

Sugerencias para comenzar la segunda clase

1. El profesor Hendricks reta al maestro con la siguiente declaración de Jesús en Lucas 6.40: *«Mas todo el que fuere perfeccionado, será como su maestro».* Hendricks pregunta: ¿Representa este principio en Lucas 6.40 una expectativa alentadora para usted, o una expectativa que le asusta? Pida a los alumnos que hagan tres cosas: a. Buscar Lucas 6.40 en sus Biblias y notar el contexto de la declaración de Jesús; b. Plantearse la misma pregunta que Hendricks hizo con referencia al principio en el versículo (los alumnos no deben ser forzados a responder sino que más bien pueden hacerlo en voz alta o a sí mismos [en sus mentes] ante Dios); c. Escribir tres cosas que pueden hacer para que la expectativa entusiasta crezca o el temor cese. Después de unos minutos de reflexión y discusión, siga adelante con el resto de la lección.

2. Reproduzca en la pizarra los gráficos que ilustran el crecimiento en nuestras vidas (o la falta del mismo) en la página 22. Luego pida a los alumnos que respondan a las preguntas de Hendricks: ¿Cómo ha cambiado usted, digamos en la última semana? ¿En el mes pasado? ¿O en el año pasado? ¿Puede ser bien específico? Discutan y reflexionen por un tiempo antes de seguir con la lección. [**Nota:** Es interesante pensar que podemos hacer las mismas preguntas de nuestras iglesias. ¿Están creciendo o muriendo?]

3. Reproduzca el gráfico en la página 33 y discutan por unos minutos cómo las enseñanzas de la iglesia típica se relacionan a estas cuatro áreas. ¿Anima la iglesia a los miembros a vivir vidas equilibradas? ¿Se considera «no espiritual» alguna de las áreas? ¿Qué podemos hacer para tener un mejor equilibrio en nuestras vidas? ¿Está equivocado el gráfico? Traten el tema con la participación de todos si es posible y prosigan con la lección.

4. Desarrolle su creatividad para comenzar y presentar la lección.

Comprobación de las diez preguntas

1. El doctor Hendricks expresa la ley del maestro así: Si usted cesa de crecer hoy, cesa de enseñar mañana. Gregory afirma que el maestro tiene que saber lo que va a enseñar. El conocimiento imperfecto se reflejará en una enseñanza imperfecta.
2. La filosofía reflejada en la primera ley es que el maestro es primeramente un alumno, es decir, un estudiante entre estudiantes. El maestro todavía está en el camino y debe continuar creciendo y cambiando.
3. Antes de ministrarles a otros debemos pedir que Dios nos ministre. Dios utiliza la personalidad humana como vehículo para la enseñanza y por lo tanto el instrumento debe ser afilado y limpiado para que sea útil en las manos de Dios.
4. El doctor Hendricks afirma que en el sistema educacional secular se buscan personas con calificaciones significativas mientras que para enseñar las riquezas inescrutables de Jesucristo nos conformarnos con cualquiera que se preste para hacerlo.

5. El autor sugiere tres características generales: El maestro debe ser fiel, dispuesto a enseñar, y dispuesto a ser enseñado.
6. Hendricks afirma que conseguimos mayor número de maestros comprometidos al introducirlos gradualmente al proceso de la enseñanza. Él provee el ejemplo de personas que visitan el programa de jóvenes y se habitúan. Llegan a darse cuenta que pueden tener un ministerio con ellos y que vale la pena hacerlo.
7. Hendricks utiliza Filipenses 3.13-14 para responder a esta pregunta. Él observa que Pablo estaba correctamente relacionado a su pasado, ni enamorado de sus éxitos ni derrotado por sus fracasos. Con relación a su futuro, allí estaba su meta. Y con relación al presente, tomaba el reto demostrado por la palabra «prosigo».
8. Debemos crecer en cuatro áreas: a. intelectual; b. física; c. espiritual; d. emocional y social. El crecimiento en un área afecta el crecimiento en todas. Hendricks afirma que no podemos desatender el crecimiento en una de estas áreas sin afectarlo todas ellas. Todas las áreas deben estar integradas y no aisladas.
9. Cuando abarcamos la evaluación debemos hacer tres preguntas: a. ¿Cuáles son mis puntos fuertes? b. ¿Cuáles son mis debilidades? y c. ¿En qué tengo que cambiar?
10. Hendricks afirma que el proceso del cambio es esencialmente modificar los patrones del hábito. Al hacer algo tres veces ya estamos comenzando el proceso de hacer un hábito.

Sugerencias para proyectos adicionales

1. Complete la sección **Para reflexionar** del Capítulo 1, ya sea individual o colectivamente.

2. Ya sea solo o en grupo pequeño decida hacer una evaluación sincera de sí mismo. Responda a las preguntas sugeridas por el doctor Hendricks y permita que el grupo pequeño [compuesto de personas que saben guardar confidencialidad] ore por usted y lo ayude en el proceso de cambiar algo que debe ser mejorado en su vida. Los miembros de dicho grupo pequeño deben comprometerse a ayudarse entre sí.

3. La tarea sugerida por el doctor Hendricks en las página 22 es una que se debe repetir durante nuestras vidas. Para este proyecto, evalúe cómo es que usted está creciendo; si no es así, ¿qué pasos tomará para cambiar o mejorar la situación? Si está casado debe hacer la misma tarea junto con su esposa (o esposo) y con referencia a su matrimonio y su familia. No pensemos que nuestro matrimonio y nuestra familia no afectan nuestros ministerios. Están íntimamente relacionados. No podemos (y no debemos) ministrar si nuestras familias están fuera de control o si estamos siendo irresponsables en nuestras obligaciones familiares. Perdemos credibilidad, y tal vez nos falta sinceridad, si no obedecemos a Dios en nuestros matrimonios y en nuestras familias. No se trata de la perfección ya que nadie es perfecto. Sin embargo, sí se trata de madurez, honestidad, obediencia y progreso en nuestros asuntos familiares.

4. Un proyecto original desarrollado por el alumno, el guía o facilitador, o ambos.

Lección 3

Sugerencias para comenzar la tercera clase

1. Pida a los alumnos que hagan memoria de maestros que hicieron un impacto significativo en sus vidas. Discutan por unos minutos qué es lo que hacían, qué actitud tenían, y si practicaban o no la ley descrita en esta lección. Después de compartir por un tiempo pasen a la próxima parte de la clase.

2. Debemos enseñar a nuestros alumnos a pensar. Discutan por un tiempo acerca de la dificultad, el placer, y la necesidad de usar nuestras mentes. Traten los siguientes temas: ¿Por qué es difícil pensar? ¿Qué beneficios llegan como resultado de utilizar la mente? ¿Cómo podemos lograr pensar mejor? y ¿Nos animan nuestras iglesias a pensar o no?

3. El doctor Hendricks nos instruye acerca de la importancia del fracaso en el proceso de aprendizaje. Pida a los alumnos que hablen por unos minutos acerca del fracaso. Entre las preguntas que deben ser tocadas están las siguientes: ¿Por qué es necesario el fracaso en el proceso de llegar a aprender? ¿Cómo reaccionamos frente al fracaso? ¿Quiénes nos han ayudado en nuestros fracasos y cómo lo hicieron ¿Nos ayuda la iglesia a responder al fracaso? ¿Cómo tratamos con los cristianos que han fracasado?

4. Desarrolle su creatividad para comenzar y presentar la lección.

Comprobación de las diez preguntas

1. Hendricks afirma que esta ley consiste en estimular y dirigir las actividades propias del alumno. La manera en que las personas aprenden determina cómo el maestro enseña. Gregory enseña que la función del maestro es crear las condiciones más favorables para que el alumno aprenda por sí mismo. Otra manera de decirlo es que el que enseña mejor es el que enseña menos.
2. La prueba definitiva de la enseñanza no es lo que el maestro hace o cuán bien lo hace, sino qué y cuán bien lo hace el alumno.
3. De acuerdo a Maslow los cuatro niveles de aprendizaje son los siguientes: a. incompetencia inconsciente en la cual uno es ignorante y no lo sabe; b. incompetencia consciente en la cual uno ya no es ignorante de no saber; c. competencia consciente en la cual uno ha aprendido; y d. competencia inconsciente en la cual uno llega a ser tan competente que las cosas vienen de manera natural sin tener que pensarlas.
4. La «tensión» en el proceso de aprendizaje ocurre cuando alguien o algo nos inquieta y pasamos de la incompetencia inconsciente a la incompetencia consciente. Es aquella inquietud que aparece cuando somos movidos desde una posición cómoda a la incomodidad en la cual reconocemos que debemos aprender más. Mucha tensión puede llevarnos a la frustración, el estrés, y la ansiedad. Sin embargo, muy poca tensión resulta en apatía y por lo tanto en falta de aprendizaje.

5. a. Enseñar a los alumnos a pensar; b. Enseñar a las personas a aprender; y c. Enseñar a las personas a trabajar.
6. La verdadera enseñanza y educación consiste de una serie de momentos aptos para el aprendizaje.
7. Algunos piensan que el cristianismo evangélico es un filtro para las personas que no piensan. La Biblia dice que debemos amar a Dios con todo nuestro corazón, alma, fuerza y mente. Por lo tanto, no podemos «dejar de usar la mente» si vamos a obedecer al Señor.
8. Nuestros alumnos deben adquirir cuatro habilidades básicas: leer, escribir, escuchar, y hablar.
9. El fracaso es un aspecto necesario del proceso de aprendizaje. Cuando fracasamos, intentamos de nuevo hasta lograr el éxito (aunque nunca llegamos al punto donde jamás fracasamos).
10. Las excepciones son las siguientes: a. Cuando hay que economizar tiempo; b. Cuando hay que ser sensibles a los alumnos especiales que necesitan aliento y ayuda; y c. Cuando los estudiantes están altamente motivados.

Sugerencias para proyectos adicionales

1. Complete la sección **Para reflexionar** del Capítulo 2, ya sea individual o colectivamente.

2. Prepare una lección (ya sea solo o en grupo) que utilice la ley de la educación. Debe incluir un bosquejo sencillo que explica tanto el contenido de la lección como también maneras específicas en que ayudará a estimular las actividades propias del alumno. Es decir, debe explicar cómo es que dicha lección cumple con la ley de la educación. Después de probar la lección en una situación

real, evalúe la eficacia de la enseñanza haciendo preguntas de los estudiantes y a sí mismo(s): ¿Cuáles fueron los puntos fuertes, positivos, y claros en la lección? ¿Cuáles fueron los puntos débiles? ¿Estaban claros los objetivos? ¿Qué se debe cambiar para que mejorar la lección la próxima vez que se enseñe? ¿Fue muy difícil? ¿Fue muy fácil?. ¿Motivó al estudiante sin desanimarlo?

3. Reúna una colección de anécdotas, historias, y relatos acerca de cómo cambiar un fracaso en oportunidad para el éxito. Además anote algunos versículos bíblicos, principios y experiencias que les puedan ayudar tanto a usted como también a otros que han fracasado. Dicho recurso puede ser una fuente de ánimo que usará para animar a muchos y mantenerlos en los caminos del Señor.

4. Un proyecto original desarrollado por el alumno, el guía o facilitador, o ambos.

Lección 4

Sugerencias para comenzar la cuarta clase

1. Escriba en la pizarra las tres afirmaciones que aparecen en la página 63 junto con las modificaciones que sugiere el doctor Hendricks. Pida a los alumnos que reflexionen y discutan sobre el significado y el impacto que resultará al implementar cada una de ellas. Después de unos minutos de interacción prosigan con el resto de la lección.

2. El doctor Hendricks afirma que la educación cristiana de hoy en día es muy pasiva. Pida a los alumnos que sugieran y discutan acerca de tres maneras de cambiar dicha situación. Compartan ideas y luego pasen a la próxima parte de la lección.

3. En esta lección el doctor Hendricks escribe acerca de la importancia de los propósitos en el proceso del aprendizaje. Pida a los alumnos que reflexionen y compartan sus ideas acerca de los propósitos de la educación cristiana. ¿Dónde hallamos el propósito o los propósitos de la educación? ¿Estamos diseñando nuestras clases, sermones, y programas educacionales a fin de lograr dichos propósitos? ¿Qué podemos hacer para mejor cumplir los propósitos que Dios tiene para nosotros? Después de unos minutos de intercambio completen el resto de la lección.

4. Desarrolle su creatividad para comenzar y presentar la lección.

Comprobación de las diez preguntas

1. Gregory enseña que las ideas hay que pensarlas de nuevo, la experiencia tiene que repetirse ya que el conocimiento no es una sustancia material que se puede pasar de una mente a otra. Hendricks afirma que la ley de la actividad nos dice que el aprendizaje máximo siempre es el resultado de la participación máxima. Mientras más participa el alumno, mayor es su potencial para aprender. Los mejores alumnos son participantes. Los que participan no están solo observando desde afuera sino que están profundamente enfrascados en el proceso.
2. La actividad en la cual el alumno participa debe ser significativa, es decir debe tener sentido. La actividad en el proceso del aprendizaje siempre debe tener un fin. Debe ser un medio para llegar a dicho fin y no ser un fin en sí misma.
3. Nunca debemos olvidar los propósitos en el proceso de aprendizaje ya que nuestros objetivos determinan el resultado, el fruto de lo que hacemos. Logramos lo que nos proponemos.
4. Las tres afirmaciones son las siguientes: a. La práctica perfecciona; b. La experiencia es el mejor maestro; y c. Aprendemos haciendo. Hendricks las modifica así: a. La práctica bien dirigida logra la perfección; es decir, debemos practicar de la manera correcta para lograr los resultados deseados; b. La experiencia propiamente evaluada es el mejor maestro ya que por un lado no tenemos que experimentar ciertas cosas para saber que son malas y por el otro si no evaluamos lo que experimentamos es posible que no aprendamos lo que debemos aprender; y c. Aprendemos lo bueno y constructivo haciendo

las cosas correctas (aunque también se puede aprender lo destructivo por hacer el mal).

5. El proverbio chino dice así: «Oigo, y me olvido. Veo, y recuerdo. Hago, y entiendo». El doctor Hendricks expone un pensamiento adicional: Cuando uno hace algo, además de entender, también cambia.
6. Actividades significativas en el proceso del aprendizaje son aquellas que proveen dirección sin dictadura, enfatizan la función y la aplicación, tienen un propósito planeado, se interesan tanto en el proceso como en el producto, y son realistas ya que proveen oportunidades para solucionar problemas.
7. La raíz de donde viene la palabra educar significa «sacar». El doctor Hendricks lo aplica al decir que la educación no es algo que se puede verter en el alumno. Más bien, uno la saca del estudiante.
8. El método «estilo almacén» es aquel que toma una gran cantidad de material e intenta dárselo a los estudiantes «ahora». El maestro que obra así piensa que debe echar todos sus conocimientos, sobre el estudiante al momento sin apreciar el proceso y el nivel de desarrollo en donde se encuentran los alumnos.
9. Los jóvenes cristianos contestan las preguntas de manera diferente que los no cristianos pero se comportan igual. La razón que se da es porque solo saben el «qué» pero no el «por qué» de lo que creen. No están suficientemente involucrados en el proceso de la vida cristiana como para beneficiarse de la experiencia de la misma.
10. El doctor Hendricks aboga que a veces no nos damos cuenta de los problemas reales de las personas, presentamos los personajes de la Biblia como si no experimentaron problemas y no tuvieran sentimientos, y que mu-

chos de nosotros no nos damos cuenta de lo divertido que puede ser el pecado para las personas. Este último punto significa que si pensamos que vamos a lograr que los que desobedecen a Dios se comporten como el Señor quiere con solo decirles que la vida pecaminosa es miserable, llena de pobreza, y vacía, estamos equivocados. La razón es que el pecado es placentero por un tiempo (aunque breve, comparado con el fruto de sus consecuencias). Las personas que están divirtiéndose con su pecado no van a escuchar tales argumentos (aunque expresan la verdad). Necesitamos razones más concretas y realistas para que las personas enfrenten el pecado tal y como es.

Sugerencias para proyectos adicionales

1. Complete la sección **Para reflexionar** del Capítulo 3, ya sea individual o colectivamente.

2. Practique lo opuesto al método «estilo almacén» de una de las siguientes maneras: a. Si usted ya es maestro o ya ha desarrollado una clase o un curso que contiene bastante material, reorganice dicho curso o clase a fin de que se ajuste mejor a la ley de la actividad. Enseñe la clase o el curso y evalúe los resultados. b. Desarrolle un curso o una clase nueva con los principios de este capítulo. Después de haberlo e enseñado haga una evaluación que tome en cuenta el entusiasmo de los estudiantes, cuánto aprendieron y cómo, y cómo se sintió usted de maestro. c. Desarrolle un curso de un año escolar para la escuela dominical en el cual el estudiante aprende un síntesis ya sea del Antiguo o del Nuevo Testamento, o de la Biblia entera.

3. En él contexto de proveer actividades realistas para el aprendizaje, el profesor Hendricks escribe que «muchos de nosotros no nos percatamos de cuán divertido puede resultar el pecado». Desarrolle tres actividades en las cuales los estudiantes tienen que solucionar problemas realistas, utilizar las escrituras para buscar las respuestas, y en el proceso descubrir que el pecado solo es divertido por un tiempo. Incorpore las actividades ya sea en la escuela dominical o en otra clase y después evalúe los resultados por su eficacia.

4. Un proyecto original desarrollado por el alumno, el guía o facilitador, o ambos.

Lección 5

Sugerencias para comenzar la quinta clase

1. El doctor Hendricks menciona dos clases de distracciones que pueden afectar a nuestros alumnos: las internas y las externas. Pida a los alumnos que compartan algunas ideas acerca de cómo minimizar la probabilidad de ambas clases de distracción. Después de algunos minutos de interacción, prosigan al resto de la lección.

2. El doctor Hendricks habla acerca de enseñar la regla de oro. Utilice las mismas preguntas provistas allí discutan la regla de oro tal y como el doctor Hendricks sugiere. Por cierto, pudieran tomar el tiempo entero de la lección para hacer esto, pero la meta de esta introducción es que los estudiantes experimenten la dinámica de la cual el autor está hablando. Después de un tiempo avivado de discusión, completen el resto de la lección.

3. El doctor Hendricks habla acerca del factor emocionante en la comunicación. Pida a los alumnos que compartan sus ideas acerca de cómo podemos comunicar un entusiasmo genuino en nuestra enseñanza cristiana. Los estudiantes deben proveer ejemplos de maestros, misioneros o ministros que comunican que en realidad están convencidos y entusiasmados por su cristianismo. Compartan ideas por unos minutos y sigan con la lección.

4. Desarrolle su creatividad para comenzar y presentar la lección.

Comprobación de las diez preguntas

1. Para impartir información verdaderamente debemos establecer puentes.
2. La palabra comunicación viene del latín *communis*, que significa común. Debemos pasar tiempo con las personas y conocer sus luchas sin dar por sentado que conocemos sus trasfondos. De esta manera ganamos el derecho de hablar con ellas.
3. Toda comunicación tiene tres componentes esenciales: a. el pensamiento; b. el sentimiento; y c. la acción. La relación entre los tres se puede ilustrar así: cuanto mejor conocemos algo, y cuanto más lo sentimos, más lo practicamos.
4. El método de Dios siempre es el de encarnar. El Señor envuelve su verdad en una persona. Él toma a dicha persona y la coloca en un ambiente. Luego, por medio de lo que sabe, siente, y hace, Dios muestra el poder de su gracia.
5. Las tres preguntas que Hendricks sugiere son: a. ¿Qué es lo que sé, y qué es lo que deseo que estos alumnos conozcan? b. ¿Qué siento yo, y qué quiero que ellos sientan? c. ¿Qué hago yo, y qué quiero que ellos hagan?
6. La comunicación es tanto verbal como no verbal. Por lo tanto, ambas formas de comunicación tienen que ser congruentes. Lo que decimos a nuestros alumnos tiene que ser complementado con lo que ellos observan en nosotros.
7. La comunicación en el proceso de la enseñanza requiere preparación y presentación. En la preparación le damos

forma y estructura al mensaje. En la presentación hablamos de manera clara y variada a fin de comunicar con eficacia.

8. Un mensaje necesita una introducción que capte la atención y que haga suponer que sabemos lo que vamos a decir y cómo. También necesitamos una conclusión (que muchas veces es la parte menos preparada de los mensajes). Además, entre la introducción y la conclusión necesitamos buenas ilustraciones que ayuden a los oyentes a captar lo que estamos tratando de comunicar.
9. El doctor Hendricks menciona dos clases de distracciones: a. Las distracciones internas, dentro de la persona; y b. Las distracciones externas. El afirma que no podemos hacer nada acerca de la mayoría de las distracciones internas sino sólo entender que están ahí. En el segundo caso se pueden tomar varias acciones para asegurar que tengamos la menor cantidad de distracciones posibles. Esto incluye preparar bien las cosas de antemano, asegurar que la temperatura del aula sea agradable, colocar las sillas de cierta forma, y evitar otras distracciones.
10. El último paso es dar oportunidad para la reacción. Si no hacemos esto podemos perder el beneficio de todo el proceso. Debemos saber lo que nuestros alumnos han entendido para poder hacerles preguntas. También podemos pedirles que escriban en sus propias palabras cómo pueden aplicar en su esfera de influencia lo que se les ha enseñado. Además, debemos dejar que ellos nos hagan preguntas a nosotros. De esta manera nos convertimos en mejores comunicadores y ellos experimentan el aprendizaje entendiendo, sintiendo y haciendo.

Sugerencias para proyectos adicionales

1. Complete la sección **Para reflexionar** del Capítulo 4, ya sea individual o colectivamente.

2. Prepare una lección (ya sea solo o en grupo) que utilice la ley de la comunicación. Debe incluir un bosquejo sencillo que explique tanto el contenido de la lección como también las maneras específicas en que usted utilizará los principios de la ley de la comunicación. Es decir, debe explicar cómo es que dicha lección cumple con la ley explicada en este capítulo. Después de probar la lección en una situación real, evalúe la eficacia de la enseñanza haciendo preguntas de los estudiantes y de sí mismo(s). ¿Cuáles fueron los puntos fuertes, positivos, y claros en la lección? ¿Cuáles fueron los puntos débiles? ¿Fue eficaz el proceso de la comunicación? ¿Qué se debe cambiar para mejorar la lección la próxima vez que se enseñe? ¿Cómo se manejaron las distracciones? ¿Utilizó las tres preguntas en la página 83 durante la preparación de la lección? ¿Proveyó oportunidad para la reacción de los estudiantes?

3. El estudiante debe desarrollar diferentes maneras prácticas y provechosas para obtener la reacción de los otros alumnos. Las ideas pueden incluir cuestionarios, tiempos de discusión y preguntas después de la clase o de la predicación, y otros métodos innovadores. Como parte del proyecto debe explorar por qué a veces los maestros no piden reacción muy especifica de los alumnos o tal vez ignoran la que reciben. También se debe pensar en maneras de mantenernos abiertos a la reacción de nues-

tros alumnos. En una ocasión futura puede compartir sus ideas con los otros alumnos.

4. Un proyecto original desarrollado por el alumno, el guía o facilitador, o ambos.

Lección 6

Sugerencias para comenzar la sexta clase

1. El doctor Hendricks afirma que el carácter del maestro es lo que produce la confianza del alumno. Pida a los estudiantes que compartan experiencias con maestros que cumplen con dicho principio. Además, pida que expresen sus ideas de cómo hacer esa verdad una realidad en sus vidas.

2. El ser vulnerable constituye una de las maneras de llegar a ser una persona influyente. Exploren juntos por que es difícil compartir nuestros fracasos con los estudiantes. Además, compartan acerca del beneficio y los peligros de la vulnerabilidad. Después de unos minutos de discusión prosigan con el resto de la lección.

3. El profesor Hendricks afirma que las personas más comunes en nuestras iglesias tienen los ministerios más extraordinarios, porque se han ganado el derecho. Pida a los alumnos que provean ejemplos de este principio hablando acerca de hermanos y hermanas que han conocido en las iglesias y que representan esta verdad. Hablen por unos minutos acerca de cómo son dichas personas y qué es lo que hacen para influir para el bien en sus respectivas congregaciones. Discutan el tema por unos minutos y luego completen el resto de la reunión.

4. Desarrolle su creatividad para comenzar y presentar la lección.

Comprobación de las diez preguntas

1. La quinta ley expresada por Hendricks afirma que la enseñanza eficaz es de corazón a corazón y no meramente de cabeza a cabeza. Con esto Hendricks quiere decir que es una personalidad transformando a otra con la ayuda de Dios.
2. La palabra corazón incluye la personalidad total: intelecto, emoción, y voluntad.
3. Los tres conceptos y su significado son: *ethos*, lo cual trata del carácter y la credibilidad del maestro; *pathos*, que tiene que ver con la manera en la cual el maestro estimula las emociones en dirección de lo que desea que el alumno haga; y *logos*, el contenido de la lección que provee la razón para la acción que el maestro desea que el estudiante tome.
4. Enseñar es hacer que el estudiante aprenda.
5. Los dos conceptos son inseparables. Si el estudiante no ha aprendido, nosotros no hemos enseñado.
6. Aprender es cambiar.
7. Existe una conexión inseparable entre nuestro conocimiento y nuestra responsabilidad. Somos responsables por lo que hacemos con la verdad que Dios nos revela.
8. De acuerdo al doctor Hendricks, todo el aprendizaje comienza a nivel del sentimiento. Las personas aceptan lo que están dispuestas a aceptar y rechazan lo que no están dispuestas a aceptar.
9. El cristianismo no descansa meramente en la experiencia sino en hechos históricos. El cristianismo produce una experiencia pero no se fundamenta en la misma. Nuestra fe se basa en los hechos históricos de que Jesús fue crucificado, sepultado, y resucitado.

10. Las tres cosas que necesitamos para ser personas influyentes son: a. conocer a nuestros alumnos; b. ganar el derecho de ser escuchado; y c. estar dispuestos a ser vulnerable.

Sugerencias para proyectos adicionales

1. Complete la sección **Para reflexionar** del Capítulo 5, ya sea individual o colectivamente.

2. Prepare una lección (ya sea solo o en grupo) que utilice la ley del corazón. Debe incluir un bosquejo sencillo que explique tanto el contenido de la lección como también las maneras específicas, que ayudarán a comunicar de una personalidad completa a otra. Es decir, debe explicar cómo es que dicha lección cumple con la ley del corazón. Después de probar la lección en una situación real, evalúe la eficacia de la enseñanza haciendo preguntas de los estudiantes y de sí mismo(s). ¿Cuáles fueron los puntos fuertes, positivos, y claros en la lección? ¿Cuáles fueron los puntos débiles? ¿Pusimos en práctica las tres sugerencias para llegar a ser personas influyentes? ¿Cómo debemos cambiar para que la lección mejore la próxima vez que se enseñe? ¿Cómo utilizamos los conocimientos de Sócrates? ¿Qué hicimos para causar que nuestros alumnos aprendieran?

3. El doctor Hendricks afirma que la fe cristiana se basa en hechos históricos. El alumno debe leer uno (o todos) de los siguientes libros acerca de la defensa racional de la fe cristiana: ***Evidencias que demandan un veredicto*** o

Más que un carpintero (* por Josh McDowell, ***¿Puede el hombre vivir sin Dios ?*** por Ravi Zacharias, y ***Apologética: La defensa racional de la fe cristiana***, por Norman Geisler y Ron Brooks. Luego el estudiante debe escribir los buenos argumentos que descubre en un cuaderno y aprender algunos para el uso en la evangelización de los no creyentes y en la edificación de creyentes.

4. Un proyecto original desarrollado por el alumno, el guía o facilitador o ambos.

Lección 7

Sugerencias para comenzar la séptima clase

1. El doctor Hendricks opina que en el mundo cristiano muchas veces no sabemos canalizar la creatividad. Con los jóvenes, por ejemplo, prohibimos sin proveer una manera alternativa para que ellos expresen su creatividad. Nuestro autor también relata cómo el talento de un genio musical nunca fue usado por la iglesia local evangélica a la que asistía. El joven participó en una orquesta filarmónica importante pero estaba lejos del Señor. Pida a los alumnos que opinen acerca de este caso. Discutan cómo las iglesias promueven la creatividad y cómo la apagan. Desarrollen varios principios para el uso de la creatividad en la comunidad cristiana antes de seguir con el resto de la lección.

2. Instruya a los estudiantes que hagan memoria de maestros que los motivaron a ellos en gran manera. Pida que compartan lo que dichos maestros hicieron para lograr los resultados deseados. Después de unos minutos de interacción, prosigan con la reunión.

3. El doctor Hendricks escribe acerca del papel del cuerpo de Cristo en la enseñanza, haciéndonos recordar que tal vez no somos las personas indicadas para alcanzar a alguien. Discutan por unos minutos por qué nos cuesta trabajo reconocer la contribución de otros en el cuerpo de Cristo. ¿Por qué pensamos a veces que solo noso-

tros podemos alcanzar a alguien? ¿Cómo podemos reconocer cuando otra persona es la más indicada para ayudar a algún individuo en particular? ¿Cómo sabemos si somos los mejores preparados? Después de un tiempo de discusión, prosigan con el resto de la lección.

4. Desarrolle su creatividad para comenzar y presentar la lección.

Comprobación de las diez preguntas

1. La sexta ley afirma que la enseñanza tiende a ser más eficaz cuando el alumno es motivado en forma apropiada.
2. Los conceptos básicos de la motivación son: la participación de uno mismo, la curiosidad, la satisfacción de necesidades, la utilidad, el reto, el reconocimiento, y la aprobación.
3. La relación entre el CM y el CI es que el coeficiente de motivación tiene mayor influencia que el coeficiente de inteligencia en la educación. Sin motivación aun los estudiantes que tienen grandes habilidades no logran recibir el beneficio de la educación.
4. Para el doctor Hendricks las motivaciones ilegítimas incluyen: a. la motivación del caramelo; b. la motivación de la culpabilidad; y c. la motivación del engaño.
5. Los dos niveles de motivación son la interna y la externa. La motivación externa viene de afuera y la interna viene de adentro. El propósito de la motivación externa es motivar la interna.
6. La meta de un maestro, o sea, un motivador, es desarrollar a personas que tengan iniciativa propia. Es decir, producir personas que hacen lo que hacen, no porque se les obliga sino porque ellos mismos desean hacerlo.

7. Las cuatro etapas principales en el entrenamiento son: a. decir; b. demostrar; c. practicar en una situación controlada; d. practicar en una situación no controlada en la vida real.
8. El doctor Hendricks trata varios conceptos bajo el encabezamiento del toque personal. Dichos conceptos incluyen el hecho de que uno debe identificarse con la persona. El alumno ve su nombre «escrito» en la enseñanza. Otra faceta es el papel del maestro. El instructor debe tener confianza de que el Espíritu Santo puede cambiar a las personas. Con referencia al Espíritu Santo, debemos reconocer que él obrará en y con nosotros y también en los estudiantes. Además, debemos reconocer que quizás yo no soy el maestro indicado para ayudar a otra persona. No somos nosotros, necesariamente, la respuesta, ya que Dios tiene disponible un cuerpo, que es la iglesia. Cada uno de nosotros puede alcanzar a personas que tal vez otro maestro no puede.
9. Si prohibimos algo debemos proveer alguna buena alternativa a fin de no apagar la creatividad de nuestros alumnos. El doctor Hendricks afirma que la creatividad está disponible pero que no siempre sabemos canalizarla.
10. Lo principal en la motivación tiene que ver con nosotros mismos. ¿Estamos nosotros motivados?

Sugerencias para proyectos adicionales

1. Complete la sección **Para reflexionar** del Capítulo 6, ya sea individual o colectivamente.

2. Prepare una lección (ya sea solo o en grupo) que utilice la ley del estímulo. Debe incluir un bosquejo sencillo que

explique tanto el contenido de la lección como también las maneras específicas en que ayudará a motivar al alumno. Es decir, debe explicar cómo es que dicha lección cumple con la ley del estímulo. Después de probar la lección en una situación real, evalúe la eficacia de la enseñanza haciendo preguntas de los estudiantes y de sí mismo(s). ¿Cuáles fueron los puntos fuertes, positivos, y claros en la lección? ¿Cuáles fueron los puntos débiles? ¿Usó los principios de la ley del estímulo? ¿Cómo canalizó la creatividad de los alumnos? ¿Utilizó a otras personas del cuerpo de Cristo con dones diferentes a los suyos? ¿Estuvo usted motivado?

3. El doctor Hendricks escribe acerca de los cuatro niveles de entrenamiento y también de varios conceptos relacionados con el estímulo. Desarrolle un curso sencillo de entrenamiento que incluya los cuatro niveles mencionados y que use los conceptos del estímulo presentados en el capítulo. Enseñe el curso, busque la reacción de los estudiantes, y en una reunión futura comparta los resultados con sus compañeros. ¿Qué aprendieron sus estudiantes? ¿Qué aprendió usted? ¿Qué motivación produjo tanto en usted como en sus alumnos?

4. Un proyecto original desarrollado por el alumno, el guía o facilitador, o ambos.

Lección 8

Sugerencias para comenzar la octava clase

1. Discutan la relación entre la anticipación y el impacto. Permita que varios alumnos compartan clases, discursos o experiencias de gran impacto que no anticipaban. Escriban los principios pertinentes importantes que surjan en la discusión. Después de unos minutos prosigan al resto de la lección.

2. Nuestro texto habla de tareas que nos ayudan a desarrollar la habilidad de estudiar por nosotros mismos. Pida a los estudiantes que compartan sus mejores ideas acerca de cómo los maestros pueden lograr esta meta con ellos. Escriban las mejores ideas para usarlas en el futuro. Después de un tiempo avivado de interacción, sigan con la reunión.

3. Pida a los alumnos que compartan ejemplos de tareas que en realidad los motivaron y que no los rebelaron contra el maestro. Luego motive a los alumnos a pensar por qué dichas tareas tuvieron un efecto positivo en ellos. Escriban las razones en la pizarra (o en el cuaderno) y discutan algunas de ellas. Después de un tiempo de interacción, completen el resto de la lección.

4. Desarrolle su creatividad para comenzar y presentar la lección.

Comprobación de las diez preguntas

1. Gregory enseña que muchos maestros llegan a la clase sin preparación o con una preparación mínima. Él afirma que los alumnos tienen el derecho de esperar que sus maestros se esfuercen. El profesor Hendricks expresa la ley de esa manera: «El proceso enseñanza-aprendizaje será más eficaz si tanto los estudiantes como el maestro están adecuadamente preparados».
2. El doctor Hendricks sugiere que pensemos en el punto de comienzo aun antes de que empiece la clase.
3. Resulta mejor que la clase comience con ímpetu o impulso que tener que desarrollarla de la nada al principio de cada reunión.
4. La ley de la preparación provee la base filosófica para las tareas. Las tareas acertadas completadas por los alumnos los preparan para la clase con el maestro. Es parte de lo que el maestro hace para mantener el impulso antes de la reunión.
5. Las buenas tareas traen tres beneficios: a. estimulan el pensamiento; b. proveen un trasfondo; y c. desarrollan el hábito de estudiar por sí mismo. El tercer beneficio representa el más importante de los tres.
6. Las buenas tareas tienen tres características: a. son creativas en vez de parecer al alumno solo como trabajos para ser realizados; b. provocan a los estudiantes a que piensen; y c. son realizables.
7. El impacto disminuye con la alta anticipación. Es decir, debemos ser un tanto imprevisibles a fin de conseguir el mayor impacto. Esto previene el aburrimiento y produce clases interesantes. El profesor Hendricks aclara que esto tiene que ver con nuestra metodología educacional y no con la moralidad.

8. El adulto promedio, no importa cuál sea su oficio o trabajo, tiene muy bajo nivel de confianza en su habilidad para usar y entender las escrituras.
9. De acuerdo al profesor Hendricks, cuanto más nuestros alumnos confíen en nosotros, tanto mayor será el potencial de ellos para desarrollar la confianza en sí mismos. También, el doctor Hendricks da dos sugerencias para promover la participación: a. estimular a los alumnos a participar; y b. animarlos cuando participen.
10. El doctor Hendricks nos sugiere un plan de tres pasos: a. expresar aprecio por su contribución; b. pedirle al alumno que ayude a lograr que los otros estudiantes participen también; y c. pedirle al estudiante (durante la clase) que responda a una pregunta a fin de mostrar que usted aprecia lo que él o ella dice.

Sugerencias para proyectos adicionales

1. Complete la sección **Para reflexionar** del Capítulo 7, ya sea individual o colectivamente.

2. Prepare una lección (ya sea solo o en grupo) que utilice la ley de la preparación. Debe incluir un bosquejo sencillo que explique tanto el contenido de la lección como también las maneras específicas por las que se prepararán tanto usted como los alumnos. Es decir, debe explicar cómo es que dicha lección cumple con la ley de la preparación. Después de probar la lección en una situación real, evalúe la eficacia de la enseñanza haciendo preguntas de los estudiantes y de sí mismo(s). ¿Cuáles fueron los puntos fuertes, positivos, y claros en la lección? ¿Cuáles fueron los puntos débiles? ¿Qué hizo para preparar-

se? ¿Cómo trató con los alumnos silenciosos? ¿Cómo manejó las preguntas para las cuales no tenía la respuesta? ¿Qué tarea les asignó? ¿Fue provechosa la tarea?

3. El profesor Hendricks afirma que existe una relación entre la anticipación y el impacto. Cuando las personas ya saben lo que vamos a hacer o decir, nuestro impacto disminuye en proporción. Desarrolle tres ilustraciones o clases que utilizan este principio de manera eficaz y utilícelos en la vida real. En una reunión futura comparta los resultados con los otros alumnos.

4. Un proyecto original desarrollado por el alumno, el guía o facilitador, o ambos.